文春文庫

時代小説

（　）内は解説者。品切の節はご容赦下さい。

椿山　乙川優三郎

城下の子弟が集う私塾で知った身分の不条理、恋と友情の軋み。下級武士の子・才次郎は、ある決意を固める。生きることの切なさを清冽に描く表題作など、珠玉の四篇を収録。（縄田一男）

お-27-1

生きる　乙川優三郎

亡き藩主への忠誠を示す「追腹」を禁じられ、白眼視されながらも生き続ける初老の武士。懊悩の果てに得る人間の強さを格調高く描いた感動の直木賞受賞作他、二篇を収録。（縄田一男）

お-27-2

冬の標《しるべ》　乙川優三郎

維新前夜。封建の世のあらゆるしがらみを乗り越えて、南画の世界に打ち込んだ一人の武家の女性。真の自由を求めて葛藤し成長する姿を描ききった感動の長篇時代小説。（川本三郎）

お-27-3

恋忘れ草　北原亞以子

女浄瑠璃、手習いの師匠、料理屋の女将など江戸の町を彩るキャリアウーマンたちの心模様を描く直木賞受賞作。「恋風」「男の八分」「後姿」「恋知らず」「萌えいずる時」他一篇。（藤田昌司）

き-16-1

昨日の恋　爽太捕物帖　北原亞以子

鰻屋「十三川」の若旦那爽太には、同心朝田主馬から十手を預かるという別の顔があった。表題作のほか「おろくの恋」「雲間の出来事」「残り火」「終りのない階段」など全七篇。（細谷正充）

き-16-2

埋もれ火　北原亞以子

去っていった男、残された女。維新後も龍馬の妻として生きたお龍。三味線を抱いて高杉晋作の墓守を続けるうの。幕末の世を駆け抜けて行った志士を愛した女たちの胸に燻る恋心の行く末。

き-16-4

文春文庫

さらば深川

髪結い伊三次捕物余話

宇江佐真理

文藝春秋

目次

さらば深川　髪結い伊三次捕物余話

因果堀

一

暦の上では秋だというのに江戸の残暑は相変わらず厳しい。廻り髪結いの伊三次は朝から、かッと照りつける陽射《ひざ》しにうんざりしながら茅場町の塒《ねぐら》を出た。

その日は深川の丁場《ちょうば》（得意先）を廻る予定だった。深川まで歩いて、だらだら汗をかくのも嫌やだと思い、伊三次は舟着場から舟に乗った。

大川を渡る時、川風が伊三次の額を僅《わず》かに嬲《なぶ》って、幾分、ほっとする気持ちになった。水面は陽の光が反射して眩しい。伊三次は眼を細めて遠くの景色を眺めた。対岸の深川の家並はゆらゆらと歪んでいるように見える。

舟に乗っている時の伊三次は埒《らち》もないことばかりを思い出す。前日に仕事をした客のつまらない冗談、道を歩いて、すれ違った若い娘の、うなじに垂れていた後れ毛、大八車をひいていた人足の赤銅色に焼けた肌の色、お文《ぶん》の白い脛《はぎ》、あるいは堀の汀《みぎわ》に貼りついていた青い苔などを。

しかし、その日の伊三次は隠密廻り同心、緑川平八郎の声を思い出していた。何事にも皮肉を滲ませずにはいられないその声が耳許に残っていた。

つい、三日ほど前に路上で彼と出くわした時、彼は伊三次に手を貸せと言ったのだ。厄介な事件が持ち上がっているようだ。伊三次は未だ、北町奉行所の定廻《じょうまわ》り同心、不破友之進の小者《こもの》（手先）に戻る決心がついていなかった。戻っていれば緑川にも手が貸せると思う。緑川には決まった小者がいないので、これまで不破の指図で何度か彼の御用を務めたことがあったのだ。かと言って、直接、緑川に使われるつもりはさらさらなかった。

緑川には曖昧な返事でお茶を濁した伊三次だったが、何んの事件だろうかと気にはなっていた。

深川の材木問屋の主人、番頭の頭をやっつけ、その足で佐賀町に廻り、干鰯《ほしか》問屋《といや》の主人の頭を結い終えると伊三次は蛤《はまぐり》町のお文の家に向かった。ちょいと休憩を取るつもりだった。夜のお座敷があるお文は、さほど時間がある訳でもないが、そうして伊三次が顔を出せば喜ぶ。たまに頭を結ってやるぐらいが伊三次にできるせいぜいのことだった。

家の前まで来ると女中のおみつが竹箒で掃除をしていた。伊三次に気づくと手を止めて頭を下げた。

「おみつ、弥八とは仲良くやっているか？」

伊三次は気軽に言葉を掛けた。弥八は京橋の湯屋をしている留蔵の養子で、おみつと夫婦約束を交わしていた。

「嫌やな兄さん」

おみつは照れを隠すように伊三次を睨んだ。

「いるかい？」

伊三次は家の方に顎をしゃくった。

「ええ。でも姉さん、ご機嫌斜めですよ」

「どうした？」

伊三次はおみつの顔を覗き込む。鼻の頭に芥子《けし》粒のような汗を浮かべている。丸い眼が二、三度しばたたかれた。

「姉さん、紙入れを掏《す》られたんです」

「いつ？」

「昨夜《ゆうべ》、お座敷の帰りに。少し酔っていたせいもあるけど、それにしても姉さんが掏摸《すり》に遭うなんて……こんなこと初めてですよ。姉さん、焼きが回ったって盛んにぼやいています」

伊三次は慌てて庭先から縁側に向かった。

お文は縁側に俯《うつぶ》せになって煙管を遣っていた。伊三次の顔を見ると緩慢な動作で起き上がった。

「紙入れ、掏られたってか？」

お文は伊三次の問い掛けに溜め息で応えた。

「酔っていたんだな」

伊三次はお文の不注意を詰《なじ》る口調になった。

「お座敷で酒を飲むのは毎度のことさ。だが、深酔いはしていなかったよ。お座敷からここに戻って来るまで、ちゃんと憶えている」

「掏ったのはどんな奴か、心当たりはあるのか？」

伊三次は顔見知りの掏摸の顔をあれこれと思い浮かべて訊いた。お文の眉が持ち上がった。

「そいつは、わっちを心配して聞いているのか？　それとも下っ引きのつもりで聞いているのか？」

「……………」

「よう、どっちなんだよう」

お文の口調は小意地が悪かった。紙入れを掏られた腹立ちを伊三次にぶつけていると
いう感じだった。

「そりゃ、お前《め》ェのことが心配で」

「ふん、うそばかり」

お文は灰落としに煙管の雁首を叩きつけた。

「女の巾着切りにやられちまったのさ」

お文は思い出すのも癪《しゃく》に障るという様子で吐き捨てるように言った。

「女？」

「ああ、女さ。八幡様の前で、わっちとすれ違いざま、ばったり転んだ女がいたんだ。わっちは大丈夫かと声を掛けた。だが、その女は膝でも打ったのか、なかなか立ち上がろうとしなかったのさ。それでわっちは手を貸した。女はわっちに摑まってようやく立ち上がると礼を言ったよ。怪我をしなかったかと心配したが、存外に達者な足取りで行ってしまった。着物は安物だったが、何しろいい女だったねえ。わっちは素人にも結構美人がいるものだと感心していたものさ。それで、踵《きびす》を返して家に戻ろうとした時、帯の辺りが妙だと気づいた。はん、根付けを切られて紙入れがなくなっていたということさ。銭は惜しくはないが、根付けは珊瑚《さんご》だし、紙入れも唐織《からおり》だったから悔しくってねえ……ああ、癪に障る」

「根付けを切ってか……刃物を使ったってことだな」

伊三次は縁側に商売道具の入った台箱を置いて腰を下ろすと独り言のように呟いた。

巾着切りと呼ばれる掏摸の一味は江戸におよそ三つ数えられる。人の懐を狙う彼らは人差し指と中指の鍛錬を積み、自らを「稼ぎ人」と称している。縄張というものもあって、たとえば神田・浅草を縄張にする一味は日本橋や京橋で仕事をしないことにしている。縄張を荒らしたことが発覚すると仲間内で手ひどい制裁が加えられるという。親分、子分の盃を交わし、一味の連帯感は堅い。仕来たりにもうるさく、刃物を使うことは邪道と諫《いさ》めている。人出のある場所で、かつて伊三次も掏摸には眼を光らせていたものだが、彼らの神業には到底、力が及ばなかった。現場を押さえなければ、たとい、町奉行所の役人でも自身番に連行することはできないのだ。

伊三次が顔見知りとなった掏摸は直次郎《なおじろう》という若い男だった。伊三次より二つ、三つ年下である。直次郎は商家の若旦那ふうを装っていた。いつも無紋の黒い着物を着流しにし、献上博多の帯をきりりと締めている。その帯に、いかにも上物に見える煙草入れを挟んでいた。伊三次は市中の情報を直次郎から仕入れたことが何度かあった。その時、話を聞きながら一緒に飯を喰った。飯は奢《おご》るから自分の懐は狙うなと念を押したのに、勘定を払う段には、もう伊三次の巾着を手にして涼しい顔で支払いを済ませていた。店の外に出ると巾着は戻してくれた。伊三次は怒るより心底、呆れたものだ。それからはまともに掏摸を捕らえようなどとは考えなくなった。それは上司の不破には言えないことであったが。

直次郎の話からすると、お文の紙入れを掏った女は刃物を使ったので江戸の掏摸の一味ではないような気がした。

「増さんに届けたのか？」

伊三次は煙管に新しい刻みを詰めているお文に訊いた。増蔵は門前仲町の岡っ引きである。

「いいや、まだだ。どの道、紙入れは戻っちゃ来ない。諦めるしかないよ」

「紙入れと根付けは、その内おれが買ってやらァ」

「おやあ、豪気に言う。あてにしないで待っているよ。当分は手持ちの物で我慢するさ」

お文は伊三次の言葉に幾分、気が晴れた様子だった。戸棚から羊羹を取り出して伊三次の前に置き、いそいそと茶を淹《い》れ始めた。伊三次がうまそうに羊羹を頬張っていた時、おみつが竹箒を持ったまま縁側にやって来てお文に声を掛けた。

「姉さん、仲町の親分さんがお見えになりました」

「おや、増蔵さんが？　お通ししておくれ」

お文は慌てて座蒲団の用意をした。

「増さん、何んの用だろうな？」

「おみつのことじゃないのかえ？」

お文は訳知り顔で言った。弥八との祝言《しゅうげん》の話がそろそろ進められている。おみつは増蔵の口利きで、お文の家の女中となった経緯《いきさつ》がある。おみつの祝言には仲人を引き受けることになっていた。

増蔵は土間口から茶の間に入って来た。伊三次に気づいて一瞬、渋い表情を拵《こしら》えたが「来ていたのか」と、いつものように気軽な言葉を掛けた。

「へい。ひと息入れておりやした。ちょうどこれから仲町の方に顔を出そうかと考えていたところですよ」

「ふむ。文吉《ぶんきち》は巾着切りにやられたんだってな？」

「まあ、お耳の早い。どなたに聞いたんでござんすか？」

お文は増蔵の前にも茶の入った湯呑を差し出して、少し驚いた顔で訊いた。

「ぽん太だ」

増蔵はぺこりと頭を下げて湯呑に手を伸ばした。ぽん太はお文の妹分に当たる芸者だった。

「それでわざわざお越し下すったんですか」

お文は恐縮して頭を下げた。増蔵がお文を心配して訪ねて来たのは、土地の親分としての行為に違いなかった。しかし、それにしては、まだ届けも出していないのに、ずい分手回しがよいと伊三次は内心で思った。

「女の巾着切りだってな？　そいつは確かか？」

「ええ。心当たりは、わっちがぶつかった女しか考えられないものですから……」

「どんな女だった？」

「どんなって……きれえな女でしたよ。巾着切りなんざしなくても左褄《ひだりづま》でも立派に通用するほどの器量で」

「年は幾つぐらいだった？」

増蔵はお文に畳み掛けて訊く。お文は増蔵の言葉に気圧《けお》された表情になって、そっと伊三次の顔を見た。伊三次は何も応えず湯呑の中身を口に運んだ。

「年は……そうですねえ、わっちより年上……いや、同じぐらいだったでしょうか」

お文は自信がなさそうに応えた。

「どっちなんだ？」

増蔵は苛々して甲走った声になった。伊三次とお文は顔を見合わせた。増蔵は子分の正吉《しょうきち》に癇を立てることはあったが、伊三次やお文に対しては、穏やかな物言いをする男なのだ。

「夜のことですからね、はっきりとは憶えちゃいませんよ」

お文は低い声で言う。

「お前ェはさっき、きれえな女だと言った。そこまで憶えていて年の見当がつけられねェはずはねェ」

増蔵は執拗に訊く。お文はさすがに、むっとした表情になり「増蔵さん、紙入れを掏られたのはわっちなんですよ。増蔵さんの言い方は、まるでわっちが科人《とがにん》のようじゃないですか」と、切り口上になった。

「よせ」と、伊三次はお文を制した。

「いや、悪かった。近頃、深川でも女の巾着切りの噂で持ち切りよ。あっちでもこっちでもやられたと届けが出ている。緑川の旦那も躍起になっているが、こいつがなかなか捕まらねェのよ」

増蔵は少し冷静さを取り戻して穏やかに言った。伊三次は、あっと思った。緑川の追い掛けている事件とは、これのことかと察しがついた。

「増さん、実はおれも緑川の旦那から手を貸せとしつこく言われていたんですよ。この山のことだったんですね？」

伊三次は納得したような顔で増蔵に言うと、増蔵はつかの間、伊三次の眼をじっと見た。

不安を抱えているような、怪しむような複雑な目線であった。伊三次は自分からその目線を外した。だが増蔵は「お前ェ、手を貸すつもりか?」と訊いた。

「いや、不破の旦那を差し置いて、それはねェでしょう」

伊三次はわざと朗らかに応えた。

「そ、そうだよな。幾ら不破の旦那の御用は退《の》いているからと言って、そいつは了簡《りょうけん》違げェというものだ。おれも遠慮した方がいいと思うぜ」

増蔵も笑顔で言った。しかし、何かほっとした様子にも感じられる。お文がまた、伊三次の顔を見た。何かが、どこかが妙だった。

その妙なものの正体が、その時の伊三次にはわからなかった。伊三次が傍にいることで増蔵は居心地の悪いそぶりも見せている。伊三次はそれを察して「お文、悪いが、おれはちょいと用事を思い出したんで行くぜ。増さん、後のことは頼みます」と、腰を上げた。増蔵は煙管に火を点《つ》けた恰好で「ああ、じゃあな」と、あっさりと言った。

お文は珍しく外まで見送りに出てきた。

「伊三さん、ちょいと様子がおかしかないかえ?」

お文は囁くように言った。普段と違う増蔵に、お文もとっくに気づいている。

「お前ェもそう思ったか?」

「わっちは何か胸騒ぎがするよ。早く不破の旦那と縒《よ》りを戻した方がいいのじゃないかえ?」

「……」

「何かあった時はどうするんだ。後の祭りってこともある」

「脅かすない」

「脅かしちゃいないさ。真面目に言ってるんだ。いいね、今日にでも不破の旦那の所に行ってみることだ」

「おれはこれから顔見知りの巾着切りに会いに行くつもりだ。何かわかるかも知れねェ」

「巾着切りにも顔見知りがいるのかえ？　お顔の広いこって」

「からかうな」

「そいじゃ、あまり長く立ち話をしていると変に思われるから……」

お文はそう言って家の中に入って行った。

二

金龍山浅草寺《きんりゅうざんせんそうじ》の雷門前は水茶屋が軒を連ねている。その辺りで直次郎を見掛けることが多い。

雷門前の広小路は相変わらず参詣の客で賑やかだった。鳩が群れている。時々、一斉に屋根に飛び上がるが、その羽の音が驚くほど大きく聞こえた。

伊三次は水茶屋の一軒に入り、床几《しょうぎ》に腰掛け、冷えた麦湯を啜りながら気長に直次郎を待つことにした。

増蔵とお文の紙入れを掏った女に何か仔細があるのだろうか。

増蔵は深川の門前仲町で、小間物屋をやらせている女房と子供二人の四人暮しである。女房のお勝《かつ》の父親が十手、捕り縄を預かる岡っ引きだったのだ。増蔵はお勝と所帯を持って跡を継いだという。そこまでが伊三次の知っていることだった。増蔵とは下っ引きをするようになってから知り合ったが、今では親戚の一人のような気持ちでいる。

先走りしそうになる伊三次をさり気なく、いなしてくれるのも増蔵だった。

伊三次が心底、ありがたいと思っている男である。こみ入った事情があるなら喜んで力になりたい。しかし、お文の家で見せた増蔵の表情には伊三次を拒絶するものが感じられてならない。何んだろう。伊三次は解けない謎に頭を一杯にさせていた。

「油断していると巾着切りに狙われるわよ」

ぴったりと伊三次の横に貼りついて来た男が伊三次の耳許に熱い息を吹き掛けた。くすぐったさに首を縮めると、もう伊三次の懐のものをお手玉するように弾いている直次郎がいた。

「手前ェ、このう！」

冗談にせよ、直次郎のやり方は癇に障る。

直次郎は喉の奥から「うふふ」と籠《こも》った笑い声を洩らした。

「持ち重りはするけれど皆、波銭《なみせん》（四文銭）ばかりね。どうろくの中じゃ最低よ」

直次郎は切れ長の眼に小意地悪さを滲ませて言った。掏摸仲間では狙いをつけた相手を「どうろく」と隠語で呼ぶ。道陸神《どうろくじん》の略である。道で悪魔から行人《こうじん》を守る道祖神《どうそじん》の逆の意味で遣っているのだ。

「返せよ」

伊三次は直次郎の手から引ったくるように巾着を取り戻した。

「珍しいじゃない、こんな所で。もしかしてあちしに何か用？」

直次郎は細面の顔を僅かにほころばせた。

仕事をする直次郎を伊三次は一度見たことがある。表情がなくなり、顔がやや青ざめる。

どうろくの肩に触れるか触れない内に、すばやく仕事を終える。もの心つく頃から叩き込まれた掏摸の業《わざ》である。決してぼろは出さない。その後で直次郎を捕まえても、どうろくの紙入れはとっくに仲間の手に渡っているという寸法である。

「相変わらず勘のいいことで。お前ェにちょいと聞きてェことがあってな」

「廻り髪結いは実入りが少ないから、巾着切りに鞍替えする気になった？」

「おきゃあがれ！」

「ついでに下っ引きもやめているんでしょ？　ますます実入りは少ない。羽織芸者のいい女《ひと》と所帯を持つ日が遠くなる……」

直次郎は最後の方を節をつけて唄うように言った。どうして人の嫌がることを平気で言えるのか。伊三次は腹が立つより、そんな直次郎が羨ましいとも思った。言いたいことの半分も伊三次は言えない。直次郎は黙った伊三次にまた、うふふと笑った。

「姐さん、あちしにも冷たいの一つ」

直次郎は茶店の小女に声を掛けてから「緑川の旦那と、この前会ってね、あちし、女の稼ぎ人のことを聞かれたわよ。兄さんも、もしかして、そのことで？」と、伊三次に向き直って訊いた。

「ああ」

緑川はさすがに隠密廻りだと伊三次は内心で感心していた。すぐに繋《つな》ぎをつけている。

二人が座っている床几から、参詣に来た客が鳩に盛んに餌《えさ》をやっているのが見えた。鳩は人懐《ひとなつ》っこく客の周りに群れて羽をばたつかせて餌をねだっている。

「ふん、ああやって馬鹿な客が餌をやるもんだから、鳩は手前ェで餌を獲《と》ることも忘れてしまうのよ。飛ぶのも大儀なほど太っちまって。この間、蹴飛ばしたら首の骨を折って死んじまったわよ」

「ひでェことをするよ」

伊三次は詰《なじ》るように言った。直次郎の話は伊三次の胸をひやりとさせる類《たぐい》が多かった。

「あら、どっちがひどいの。鳩をそんなふうに太らせた奴？　それとも試しに蹴飛ばしたあちし？」

「両方よ」

伊三次は怒気を孕《はら》ませた声で応えた。直次郎はきゅっと細い眉を持ち上げた。

「兄さん、餓鬼の頃、何か悪さをすると、親に、お前は川で拾った子だと言われたことがなかった？」

「何が言いてェ？」

「あるかないか聞いているのよ」

「そりゃ、あるさ」

伊三次は苦笑混じりに応える。直次郎の意図がわからない。木箱に入れて捨てられた赤ん坊がいて、それを可哀想にと父親が拾って来た――伊三次も子供の頃、母親から何度も囁かれた話である。だから、言うことを利かないと元の木箱に詰めて橋の傍に戻してしまうよ。

親はどうして、そんな埒もない話を子供にするのだろう。言われた子供は半信半疑で親の顔を見る。すると、今まで邪険にされたことを次々に思い出し、もしかしてそいつは本当のことじゃなかろうかと考えてしまう。

それで晩飯の仕度をしている母親の背に「おっ母さん、おれは本当にうちの子かい？」などと改めて訊ねてしまうのだ。母親は以前にそんなことで子供をからかったことなど、すっかり忘れて「なに馬鹿なことを言ってるんだい」と甲高い声を上げる。子供はその声で心《しん》からほっとするのだ。

「あちしも親方にさんざん言われたものよ。でもね、他の餓鬼どもにとっちゃ冗談でも、あちしには本当のことだったのよ。その通り、木箱に入れられて川っ縁《ぷち》に捨てられていたのよ」

「……」

たとえ話が実話だと知った時、直次郎は何を思ったろうか。伊三次の胸の辺りにきゅ、んと痛みが走った心地がした。

「拾われた奴が悪かったんだな」

伊三次は低い声で言った。

「そうそう。だから兄さん、あちしを恨まないで。鳩と同じよ」

「別にお前ェを恨んじゃいねェよ」

直次郎を拾った者が掏摸の親方ではなく、子のない、まっとうに生きている夫婦者であったなら直次郎の人生も大きく変わっていたはずだ。そう思うと直次郎に同情する気持ちも少しは生まれた。

「兄さんもすっ転びお絹のことを知りたいのね？」

直次郎は麦湯をぐびりと飲み下すと伊三次に言った。

「すっ転びお絹？」

「そうよ。どうろくの前で石にでも躓いたふりをして転ぶのよ。情のあるどうろくなら大丈夫かと手を貸すじゃないの。その隙にこうよ」

直次郎は人差し指と中指を揃え、宙を払う仕種をした。お文を狙った掏摸はどうやら、そのすっ転びお絹であったらしい。

「それでお絹の何を知りたいの？　ドヤ（塒）？」

「ドヤを知っているのか？」

伊三次は思わず色めき立った。

「四文」

「え？」

「答えるから四文出してよ。後で屋台に行くんだから」

直次郎は手を出した。まるで女のように細く長い指をしている。伊三次は仕方なく四文取り出して直次郎に渡した。直次郎はそれをすばやく袂に落とし込んだ。

「緑川の旦那からは一分貰ったけどね、兄さんは懐が寂しいから大負けしてあげるのよ」

「そいつはどうも。恩に着るぜ」

伊三次は冗談めかして言った。

「お絹のドヤは知らない」

だが、直次郎はあっさりと応えた。

「手前ェ……」

「知っていたら縄張荒《しま》らしだもの、うちの親方も、よその親方も黙っちゃいないわよ。お絹、すぐさま簀巻《すま》きにされて大川にどぶん、よ」

それもそうだと納得して伊三次は肯《うなず》いた。

「それから？」

直次郎は伊三次の次の言葉を急《せ》かす。

「お絹の出生《でしょう》を知っているか？」

「四文」

直次郎がまた手を出す。伊三次は舌打ちして銭を渡した。

「江戸から二日ばかり行くと血洗島《ちあらいじま》村っていうのがあるらしい。お絹、そこの出らしいって噂よ」

「誰から聞いた？」

「よその縄張の稼ぎ人がそんなことを言っていたのよ。本当かどうかは知らないけれど。半年ほど前から荒稼ぎをしていたようよ」

血洗島村——聞いたこともない村だった。

伊三次の脳裏にさほど豊かではない農村風景が拡がっていた。血洗島という名がそう思わせたものだろうか。

「お絹はどうして江戸に出て来たんだろうな」

「そりゃ、江戸に出て来たら実入りのいい稼ぎができると思ったのよ。でも、お絹、ほんとうの稼ぎ人じゃないわよ。剃刀《かみそり》を使うなんて……剃刀を使えば仕事は早いけど証拠を残すことになるじゃない。あちしらの商売、手妻《てづま》（手品）みたいなもんだから、馬鹿などうろくなら掏られたことさえわからないのよ。お絹、その内、捕まるわよ」

直次郎もお絹の仕事ぶりには業を煮やしているというふうだった。

「お前ェ、深川の門前仲町の岡っ引きの親分を知っているか？」

伊三次は直次郎の横顔を見つめて訊いた。

直次郎の頭はきれいに撫でつけられている。毎日、大川の傍の並《なら》び床《どこ》に行くという。並び床の手間賃は伊三次の手間賃の半額だった。人の懐を狙う稼業をしていても暮しの出費を節約している様子が笑いを誘う。

「いつも苦虫を噛み潰しているような顔をした親分のこと？」

「ああ」

「で、その親分がどうしたって？」

「お絹と何か繋がりがあるようなことは聞いていねェか？」

「馬鹿らしい」

直次郎は吐き捨てるように言った。

「岡っ引きと巾着切りにどんな繋がりがあるって言うのよ。捕まるか、捕まえるかだけじゃないの」

「昔、何かあったとかよ」

「なあに？　相惚《あいぼ》れだったとか？　あらすてき」

「たとえばの話よ」

「知らないわよ」

「そうか……」

伊三次はむきになった様子の増蔵の顔を思い出していた。ただの掏摸を探っていたにしては、やはり腑に落ちないものが感じられる。

何かある、お絹と増蔵との間に。その時、伊三次の脳裏を掠めたのは緑川ではなく不破のいかつい顔であった。

伊三次は床几の上の台箱を取り上げると「手間ァ取らせたな。また、話を聞きに来るかも知れねェ」と直次郎に言った。直次郎は「あい」と応えたが、眼はもう伊三次ではなく、目の前を通り過ぎた商家のお内儀《かみ》ふうの女の方を向いていた。伊三次は二人分の茶代を払って、その水茶屋を出た。

三

八丁堀の組屋敷の前で、伊三次はしばらく躊躇していた。敷居が高く感じられてならない。不破から何しに来たと怒鳴られては立つ瀬がない。気持ちは萎《な》える。どうしたらいいものかと思案している内に辺りは黄昏《たそがれ》て来た。不破は、もう奉行所から退出したろうか。中間《ちゅうげん》の松助でも出てくれれば取り次いで貰えるのにと思っていた。

「あ、伊三次さん！」

甲高い声が聞こえた。振り向くと不破の息子の龍之介がいなみと一緒に戻って来るのが見えた。いなみは伊三次を見ると、一瞬、気後れした表情になって頭を下げた。龍之介は小走りに伊三次に近づいた。

「坊ちゃん、お久しぶりです。また背が伸びましたね？」

伊三次は龍之介に言った。見る度に龍之介は成長している。

「もうすぐ母上を越しますよ」

龍之介は得意そうに応えた。

「そりゃ楽しみですね。今日は奥様とお出かけだったんですかい？」

「新しい竹刀《しない》を買いに行って来たんですよ。稽古で壊れてしまったものですから」

「さすがですね、坊ちゃん」

伊三次が持ち上げると龍之介は無邪気に笑った。

「伊三次さん。お入りになって」

いなみは組屋敷の中に伊三次を促した。

「へい……ですが……」

「不破にお話があっていらしたのでしょう？」

「へい」

伊三次の口調は歯切れが悪かった。小者を退《の》いている今、伊三次が不破に話そうとしていることは、考えてみたら余計なことだった。

「難しく考える必要はありませんよ。ご自分の気持ちを正直に伝えたらよろしいのです」

いなみは伊三次が不破と縒りを戻すために訪れたと思っているらしい。そう感じると顔がほてった。

「不破は戻っております。どうぞご遠慮なく」

「今日はちょいと気になることがあって参りやした」

「ですから、どうぞ」

いなみは伊三次の背中を、つっと押した。

「そいじゃ、お庭先からちょいとお邪魔致しやす」

「やあ、伊三次さんが来るなんて久しぶりだ」

龍之介も腕を伸ばして伊三次の背中を押した。その力は存外に強かった。


不破友之進は普段着に着替え、庭に下りて、目についた下草などを摘み取っていた。

不破の屋敷の庭は、さして自慢するような樹木とてないが、昔からある梅、松、楓《かえで》、紅葉《もみじ》などが季節に彩りを添えていた。下男の作蔵が器用に形を整えた前栽《せんざい》も何やら風情がある。不破は中に入って行った伊三次に気づくと「おッ」という顔になった。

「どうした?」

不破は気軽な口を利いた。伊三次は幾分、ほっとする思いで「ご無沙汰致しております」と、頭を下げた。

「仕事はどうだ?」

「へい、何んとかやっております」

「そいつは何よりだ」

　不破は穏やかに言って白い歯を見せた。

　久しぶりの不破が妙に男前に見えた。そう感じる自分が不思議だった。

「実はちょいと気になることがありやして、こうして伺いやした」

「何んだ？」

「お文が深川で女の巾着切りにやられたんですが、そのことで……」

　そこまで言って、伊三次は自分の言葉が言い訳めいているとも思った。心のどこかで不破に会うための理由をあれこれと捜していたような気がする。不破は庭下駄を外して縁側に上がると、ゆっくりと胡座《あぐら》をかいた。辺りに静かに薄闇が忍び寄っていた。

「文吉もやられたか。そいつは気の毒だったな。かなりやられたのか？」

「いや、銭の額は大したことはなかったようですが、紙入れが唐織で珊瑚の根付けをつけておりやしたんで、そっちの方を惜しがっておりやす」

「そうか……」

「その巾着切りは刃物を使うようで、どうも江戸の巾着切りとは様子が違うようなんですよ」

「うむ」

「仲間はいるのかいないのか、今のところはわかりやせんが」

「仲間は恐らく、いねェだろう」

不破はその事件については、とっくに情報を耳に入れている様子だった。

「年増ですが、水の垂れそうないい女らしいです」

「うむ。地方から出て来た女のようだから上野か浅草で仕事をするのならわかるが、わざわざ深川で事に及ぶというのが解せぬ。何か深川に拘《こだわ》る理由があるのかと思うておるのだ」

「すっ転びお絹とよばれているそうですね」

「誰に聞いた？　緑川か？」

不破は少し不愉快そうな表情で眉根を寄せた。自分の知らないところで伊三次が緑川と連絡を取り合っているとでも思ったのだろう。

「いえ、直次郎という巾着切りから聞きやした」

「あいつか……おれはどちらかと言えばお絹よりも、あいつをしょっ引《ぴ》きてェものだ」

不破は空を仰いで独り言のように呟いた。

さすがにその時刻になると昼間の暑さは鳴りを鎮めたように感じられる。新涼《しんりょう》の風が頬を嬲る日も近いだろう。

「直次郎は、旦那を前にしては何んでござんすが、しょっ引くのは骨ですよ。おいぼれになって手許が狂うまで待つしかありやせん」

「駄目か？」

「へい、わたしと話をしている途中でも平気でこっちの懐のものをやっちまいやす。なに、冗談のつもりなんですよ。わたしのような貧乏人からは掏らないなどと殊勝なことを言っておりやしたが」

「そのようなところで立ち話も何んでございますから、中に入ってお茶でも召し上がって下さいましな」

いなみが盆に茶の入った湯呑をのせて現れた。伊三次はすぐに暇乞《いとまご》いをするつもりだったので恐縮して「いえ、すぐに帰《け》ェりますのでお構いなく」と言った。

「まだ肝心の話が済んでおらぬだろう。どれ、座敷に入って、ゆっくり話を聞こう」

不破は気軽に伊三次を促した。少し躊《ため》ったが伊三次は雪駄を外して上に上がった。いなみは茶を出すと蚊遣りを焚き、行灯《あんどん》に火を点けた。それが済むと女中のおたつと一緒に雨戸を閉《た》て始めた。ようやく座敷が落ち着くと「それでお前ェはお絹のことで何か気になることがあるのか」と、不破は訊いた。

「へい。お文から紙入れを掏られたことを聞いていた時、ちょうど増さんがやって来たんですよ」

「うむ」

「増さんが掏られたお文に色々仔細を訊ねるのは、土地の親分だから当たり前ェのことなんですが、それにしちゃ、どうも様子が普通でなくて」

「普通でねェとは？」

「妙に苛々しているんですよ。お文が要領を得ないことを喋ると癇を立てやしてね。そのお絹と増さんとの間に何かあるみてェに思えて……」

「それで直次郎は何か言っていたか？」

「へい。お絹は血洗島村ってところの出らしいと言っておりやした。江戸から存外に近い村だそうです」

不破はぎょっと伊三次を見た。

「武蔵国《むさしのくに》だ。江戸から二日ほど行った所にある。伊三、増蔵も血洗島の出だぜ」

そう言った不破に伊三次も驚いて、つかの間、言葉を失った。

「お前ェの思っているように何か訳ありだぜ」

不破は腕組みして低い声で言った。伊三次の胸にも嫌やな気分が生まれていた。

「そいじゃ、緑川の旦那に繋ぎをつけた方がよろしいかと。緑川の旦那はお絹を張っておりやすから」

「まてまて、緑川に話せばお前ェの二の舞になる恐れがある」

「……」

緑川は増蔵にしつこく仔細を問いただすに違いない。増蔵がそれに対して素直に答えなかった場合、緑川はどんな手を遣うか知れたものではなかった。不破はそれを危惧している様子である。不破は、緑川のやり方には伊三次で懲《こ》りていた。無理もない。伊三次が殺しの下手人として疑われた時、緑川に調べを託し、それが原因で不破と伊三次は袂を分かつことになったのだから。

「増蔵はどういうつもりでおるのだろうの。自分でお絹をしょっ引くつもりなら構わぬが」

「さてそれは……」

「何か引っ掛かるのか？」

不破は伊三次に覆い被せた。

「いえ……何んとなく気になるだけのことです。わたしは心配性な質《たち》なもんで。面倒なことにならなきゃいいと思っておりやすが」

「伊三、手を貸せ」

不破は間髪《い》を容れず言った。

「ですが……」

「そこまで気にして知らぬ顔はねェだろう」

不破はそう言って煙管に火を点け、白い煙を大きく吐き出すと伊三次の表情を窺った。

不破のその言葉を待っていたとも言える。

しかし、伊三次に躊うものがあった。伊三次は押し黙って俯《うつむ》いた。居心地の悪い沈黙がしばらく続いた。伊三次は先刻のいなみの言葉を思い出していた。正直に気持ちを話せと言われたことだ。

「旦那……」

伊三次は俯いたまま口を開いた。

「旦那には派手な啖呵《たんか》を切りやした」

「……」

「今更、それを反故《ほご》にするのは気が引けやす。弥八や増さんに……いや、緑川の旦那にも小者の仕事には戻らねェと言いやした」

「緑川は、お前ェを引き留められなかったおれを腑《ふ》抜《ぬ》け呼ばわりした」

「申し訳ありやせん」

「だが、お前ェは小者をやめた後も色々とおれのために尽くしてくれたと思うておる」

「とんでもねェ、わたしは何もしておりやせん」

伊三次は慌てて言った。事件からは一切、手を引いていた。力にはなっていない。そんなことを言い出した不破が解せなかった。

「いなみのことについては大層、世話になった」

あっと思った。いなみの敵討ちのことを、とっくに伊三次は忘れていたのだ。いなみはお上に届けを出さずに父親の敵討ちをしようとした。伊三次は増蔵たちと協力して、いなみを止めたのである。

不破はカンと灰落としに煙管の雁首を打つと膝を正して伊三次に向き直った。その厳しい表情に伊三次も思わず背筋を伸ばした。

「あいすまぬ」

不破はとうとう畳に手を突いて深々と頭を下げた。伊三次はぎょっとなった。

「旦那、やめて下せェ。旦那がそんなことをするなんざ、みっともねェ。仮にも旦那はお武家だ。素町人に頭を下げちゃ、お武家の沽券《こけん》に関わりやす」

伊三次は不破の腕を取った。しかし、不破はその姿勢を崩そうとはせず、言葉を続けた。

「たとい相手が素町人だろうが、小者であろうが、誤りは誤り。拙者、おぬしが下手人として疑われた時、力になれずにご無礼致した。ならびに、妻女の不届き至極の振る舞いに身体を張って阻止した一件、不破友之進、心からお礼申し上げる」

不破は澱《よど》みなく言った。伊三次の胸は締めつけられるように苦しかった。不破がそんな態度に出るとは思いも寄らない。どうせなら「四《し》の五《ご》の言わずに小者に戻れ」と大音《だいおん》声《じょう》で怒鳴られた方がどれほどましだったろう。

伊三次は自分の傲慢さを恥じていた。自分の意地とは不破にこういうことをさせることだったのかと。

「旦那、やめて下せェ！」

伊三次は仕舞いには悲鳴のような声で不破の腕を取った。顔を上げた不破と眼が合った時、伊三次の鼻の奥はつんと痛み、我知らず、ぽろりと涙が頰を伝った。不破も伊三次の涙に誘われたように赤い眼になった。

「勘弁しておくんなさい。わたしは、わたしは……」

伊三次は不破の腕を取ったまま俯いた。うまい言葉が出てこなかった。その場の重苦しい雰囲気をからりと笑い飛ばす気の利いた言葉がほしかった。しかし、そんな言葉は咄嗟《とっさ》に出てくるものではない。伊三次は心底、自分のことを無骨者だと思った。

不破は伊三次の手をさり気なく払うと、そのまま伊三次の肩を二、三度叩いた。

「飯を喰って行け。まだだろ？」

「へい……」

「こういう時、お前ェが飲めりゃ都合がいいのだが……」

不破は心から残念そうに言った。

「旦那、盃に一杯だけいただかして下せェ」

伊三次はすぐに言った。

「お？　そうか、飲む気になったか」

「へい」

「そうか、そうか」

不破は上機嫌で襖を開け、いなみを呼ぼうとした。驚いたことに、いなみは襖の外でおたつと一緒に膳を用意して待ち構えていた。膳には刺身だの卵焼きだの、普段と違う料理も並んでいる。

「そろそろお呼びではなかろうかと……」

いなみは不破に言った。

「手前ェ、立ち聞きしていたな？　下衆《げす》女め」

不破は途端に苦々しい表情になった。

「立ち聞きなどしておりませぬ。ねえ、おたつ？」

「はい、たった今、こちらに参りましたばかりでございます」

おたつも口を揃える。

「久しぶりに伊三次さんがいらしたのですもの、こういうことになるのではと、察しておりました。いけませんでしょうか？」

いなみは涼しい顔で言う。黙った不破に「中にお運び致してよろしゅうございますね」と、不破を押し退けるように座敷に入って来て膳を置いた。

四

「兄さん、おりやすかい？」

土間口から間の抜けた声が聞こえた。伊三次が首をねじ曲げてそちらを向くと、簾《すだれ》の下から細い毛臑《けずね》が見えた。増蔵の子分の正吉である。

「正吉か？　上がって来い」

伊三次が気軽に声を掛けると、正吉は遠慮がちに茶の間に上がって来て「姉さん、いつもどうも」と、お文に挨拶した。

「あい、こちらこそ。あんた、ままは喰ったのかえ？」

お文は如才なく訊ねる。

「へい、さっき蕎麦を喰いやした」

「そうかえ、そいじゃ麦湯でも」

「すんません」

正吉は畏まって座ると揃えた膝頭を両の手で摑んだ。

「どうした？」

伊三次は口をもぐもぐ動かしながら訊いた。

伊三次は朝から深川入りして仕事をこなし、ひと区切りつくと、蛤町のお文の家で昼飯を食べていた。その日も結構な暑さだった。さほど食欲のなかった伊三次は梅干しと香の物をおかずに水漬けにしていた。飯の上に水を掛けてさらさらと啜り込むのだ。伊三次が水漬けにするとお文は嫌やな顔をする。せめて茶漬けか、湯漬けにしろと言う。水漬けには、どうも貧乏たらしいものが感じられてならないそうだ。これと同じ台詞を死んだ父親が母親から言われていた。親子は妙なところが似るものである。

「親分がいねェんですよ。兄さん、どこに行ったか知りやせんか？」

正吉は心底、弱ったという顔で言った。

「お前ェに何も言わねェで出かけたのか？」

「へい」

「そいじゃ、おっつけ戻って来るだろうよ。自身番で待っていな」

伊三次は正吉を諭すように言った。

「でも、おいら、緑川の旦那から親分を捜して来いって言われたんで……」

「緑川の旦那が？　急用ができたんだな。お前ェは本当に心当たりはねェのか？」

「へい」

「増さん、朝はいたんだろ？」

「へい。昨夜は科人を自身番に泊めて、朝に茅場町の方へ連れて行くことになっていたんです。緑川の旦那は奉行所からまっすぐ、こちらに迎えに来たようですが、その時はもう、親分も科人もいなくなっていたんですよ」

「お前ェは緑川の旦那が来るまで一緒にいたんじゃねェのか？」

「いえ、おいらは親分の言付《ことづ》けをお内儀さんに伝えに行っておりやした」

「何んの言付けよ」

「親分が江戸へ行くから二、三日戻らないかも知れないって」

深川の人間は大川の向こうへ行くことを江戸に行くという。土地柄に一線を引いているところがあった。

「妙だな」

伊三次は慌てて残っている水漬けを掻き込んだ。

「科人は何をしてしょっ引かれたのよ」

茶碗に麦湯を入れ、ひと息で飲み干すと伊三次は正吉に訊いた。

「巾着切りです」

「何んだって？」

伊三次の顔から、すっと血の気が引くような気がした。

「すっ転びお絹か」

「へい。緑川の旦那が捕まえやした」

「手前ェ、それを先に言わねェか」

伊三次は苛々した声を上げた。

正吉の話では、緑川平八郎は例のごとく変装してお絹を見張っていたという。江戸者ではないお絹は八丁堀の役人の顔を明確に把握していなかった。お絹は夜の富岡八幡前で酔客を装っていた緑川の懐を、よりによって狙ってしまったのだ。お絹は緑川にしょっ引かれ、門前仲町の自身番に連行された。その夜の取り調べは簡単に済ませ、夜も遅いことから、そのまま自身番に泊まらせ、翌朝、茅場町の大番屋で本格的な調べをすることになっていたようだ。

「伊三さん、すっ転びお絹って、もしかしてわっちの紙入れを掏った女かえ?」

お文が口を挟んだ。しかし、伊三次はそれに応えず腰を上げ「お文、台箱、預かってくれ」と言った。

「あいよ」

お文は返事をしたが、心配そうな表情で伊三次を見ていた。もしかして、増蔵はお絹を逃がすつもりではなかろうか。いや、それとも手に手を取って一緒に江戸を離れるつもりだろうか。お文も伊三次と同じことを考えていると思った。しかし、依然として伊三次は増蔵とお絹の関わりがわからなかった。

外は相変わらず眩しい光が降り注いでいた。

伊三次はその光に顔をしかめ、単衣の裾を、すぱっと尻端折《しりっぱしょ》りした。

「正吉、親分が戻って来るまで、おれの言うことをよっく聞くんだぞ」

頭のとろい正吉に伊三次は噛んで含めるように言った。

「へい」

富岡八幡前の通りに出ると、伊三次と正吉は目についた商家に入って、増蔵の姿を見掛けなかったかどうかを訊ねた。昨日は会っているが、今日はまだ顔を見ていないという所が多かった。何軒か廻った後、黒江町《くろえちょう》の「万年屋《まんねんや》」という古着屋に入った。万年屋は正吉の友人の一人、常吉《つねきち》の家がやっている店だった。

「正ちゃん」

店番をしていた常吉は、入って行った正吉に嬉しそうに声を掛けた。正吉には常吉ばかりでなく、結構友達が多い。

「常ちゃん、うちの親分を見掛けなかったかい？」

正吉は岡っ引きの子分らしく訊ねた。

「仲町の親分？　朝方にうちに来たよ」

常吉は呑気な声で応えた。

「それで、その時、親分は一人だったか？」

伊三次は胸騒ぎを覚えながらも訊いた。

「いえ、女の人と一緒でした」

「……」

いよいよ、様子がおかしくなってきた。伊三次に胴震いがきた。

「常吉、親分は何か買ったのかい？」

伊三次は早口で続けた。

「へい、女物の着物と帯、それから手甲《てっこう》、脚絆《きゃはん》、笠……えと、それから……」

旅仕度ではないかと思った。何か言い掛けた常吉を制して伊三次は正吉に「行くぞ」と言った。

「じゃあね、常ちゃん」

正吉は伊三次について行きながら、慌てて常吉に声を掛けた。

「正ちゃん、気をつけて」

事情がわからないながらも、常吉はそんなことを言った。

仲町の自身番には緑川の姿はなく、代わりに不破が中間の松助と一緒に座敷で待っていた。

「何かわかったか？」

不破は入って来た伊三次にすかさず訊ねた。増蔵がいないことは緑川から知らされていたのだろう。奥の文机《ふづくえ》で町内の大家の次郎兵衛《じろべえ》が何やら書き物をしていた。伊三次は次郎兵衛を気にして、黙って首を振った。

「心配していたことが本当になったな」

不破は低い声で言った。その声に溜め息が混じった。

「たった今、正吉のダチの古着屋に行って来たんですが、どうもそこで旅仕度を調《ととの》えたようです。居所は知れやせんが」

「そうか……」

「ですが……江戸から出るとすれば道中手形が要りやすね？」

伊三次はふと思い出して言った。

「うむ」

「この辺りじゃ誰がそれを用意してくれるんです？」

「そりゃ、町内の役人だろう」

「名主さんですかい？」

「うむ」

「ああ、伊三次さん。親分は道中手形を名主の松五郎《まつごろう》さんに頼んでおりましたよ。お内儀さんが武蔵国の親戚の所に行くらしいですよ」

次郎兵衛は顔を上げると口を挟んだ。伊三次と不破はぎょっとして次郎兵衛を見た。

「名主の松五郎か、あい、わかった」

不破は何がわかったのか知れないが、そんな返事をした。

「大家さん、手形はそれで、もう親分の手に渡ったんですかい？」

伊三次はさり気なく次郎兵衛に訊いた。

「いえいえ。昨日の今日ですから、そんなに早くは用意できませんよ。恐らく、明日になるでしょうな」

「ああそうですかい」

自分の応えが間抜けに聞こえて伊三次は危うく噴き出しそうになった。不破はじろりと伊三次を睨んだ。

「松五郎の家だ」

不破は低い声で伊三次に言った。「へい」と伊三次は応えて「正吉、名主さんの家は知っているか？」と、傍の正吉に訊ねた。

「ああ、伊三次さん、平清《ひらせい》の裏手にある二階屋ですよ」

次郎兵衛が、また口を挟む。平清は八幡前にある高級料理茶屋である。伊三次は内心でひやひやしていた。次郎兵衛が事の仔細を知っているかどうかを訝《いぶか》しんでいた。しかし、彼は意に介した様子もなく書き物を続けた。

「ありがとうごぜェやす」

伊三次はやけに大きな声で礼を言った。

「いえいえ」

次郎兵衛は下を向いたまま応えた。

「しかし……」

不破は腕組みして考え込んだ。

「旦那、わたしに任せて下せェ。きっと止めて見せやす」

伊三次は逡巡する様子の不破にきっぱりと言った。じっくり話せば増蔵はきっとわかってくれる。伊三次は自信のようなものがあった。

「奴はお前ェの顔を見たら張られていると感づくぜ」

「大丈夫です。それと知られないようにやって見せやす」

「駄目だ。奴はこの辺りのことは臭ェほど知ってる。巻かれるのがおちだ」

不破は次郎兵衛に聞こえないほど低い声で言った。

「そいじゃ、どうしたらいいんです？」

「誰か面の割れていねェ奴を使え」

不破にそう言われて、伊三次は直次郎の顔を思い浮かべた。増蔵は伊三次ほど直次郎とは接触がない。伊三次はさらに大胆なことを考えた。直次郎に増蔵から道中手形と紙入れを掏らせることだった。そうなれば増蔵は手も足も出ない。

「わたしに任せて下せェ」

伊三次はそう言ってから不破の耳許に直次郎のことを囁いた。不破は驚いたが大きく肯いた。

「それで、このことは緑川の旦那には……」

伊三次は不破に念を押すように言った。

「わかっておる。後は頼むぞ」

「へい、そいじゃ、ご免なすって」

伊三次は不破に頭を下げて外に出た。

「伊三次、気をつけてやれ」

松助の声が背中に覆い被さって聞こえた。

「そいつは百も承知、二百も合点！」

正吉がやけに大きな声で応えて伊三次の後を追い掛けた。

五

伊三次は蛤町のお文の家でじっと直次郎が現れるのを待った。前日に浅草に出向き、運よく直次郎を摑まえることができた。増蔵の懐から道中手形と紙入れを掏ってくれと言うと、最初は驚いた顔をしたが、すぐにおもしろがってやってくれると言った。その代わり、伊三次は一日の手間賃ほどの報酬を直次郎に支払わなければならなかった。

お文の家には留蔵の子分の弥八も応援に来ていた。増蔵が見つかったら、すぐに不破に知らせに行くことになっている。

正吉は手持ち無沙汰に庭に出て草取りをしていた。

「遅い」

伊三次は苛々した声で呟いた。午前中から名主の家の近くで直次郎を張らせている。すでに時刻は八つ半（午後三時頃）に掛かっていた。

「直次郎の奴、ドジを踏んだか……」

伊三次は心配のあまり、そんなことまで言った。

「兄ィ、大丈夫ですよ。他の野郎ならともかく、あの直次郎ですから」

弥八は伊三次を安心させるように言った。

「弥八さん、直次郎って、そんなに凄腕《すごうで》なの？」

おみつが無邪気に訊いた。弥八の傍にぴったりと寄り添っている。お文に少しくっつき過ぎだと皮肉を言われたが、二人は一向に離れようとしなかった。

「極上上吉《ごくじょうじょうきち》の巾着切りよ。兄ィが捕まえることができねェんだから察しがつくだろ？」

弥八は、おみつの顔に、それこそ、くっつきそうになって応える。

「巾着切りに極上上吉って話があるかえ？　ものの言い方に気をつけな」

お文がぴしゃりと弥八を制した。弥八は首を竦《すく》めて「へい、申し訳ありやせん」と謝った。

「直次郎はおれが仕事を頼んだんだ。今は四の五の言うな」

伊三次はお文に癇を立てた。お文はそれ以上、何も喋らなかった。

七つ（午後四時頃）近くになって、ようやく直次郎は庭先からやって来た。額に汗を滲ませている。直次郎が伊三次の傍に来ると、弥八とおみつは慌てて立ち上がり、奥の方に席を移した。直次郎を警戒しているのだ。直次郎はそれを敏感に悟って「文無《もんな》しを相手になんかしないわよ。何よ、わざとらしく後ろに下がったりして」と、甲高い声を上げた。

「勘弁してくれ。こいつらはお前ェのことをよく知らねェから」

伊三次は直次郎をいなすように言った。

「姉さん、あちしに冷たいの一つ、ご馳走して下さいな。大急ぎで来たから喉が渇いちやった」

直次郎はお文に甘えた声を出した。

「あいあい。ご苦労様だったねえ」

お文は先刻の自分の言葉などさらりと忘れたように、いそいそと冷えた麦湯の用意をした。おみつはそんなお文を呆れた顔で見ていた。

「首尾はどうだった？」

湯呑の中身をひと息で飲み干した直次郎に伊三次が訊いた。直次郎は懐から書き付けのようなものを出して畳の上に放った。道中手形である。

「本当は紙入れもやっちまう約束だったけど、あの親分、結構気をつけていたから、それは無理だったわ。でもお蔭でこっちはうまく行ったけどね。親分、かなり銭を持っていたわよ。家から洗いざらい持って来たんじゃないの？　それで重い紙入れに気を遣うあまり、手形の方はおろそかになっちまったという訳よ。あんまり簡単に行ったから、おもしろくないと思って親分の後をつけたのよ」

「気づかれなかったか？」

伊三次は不安になって言った。

「ふん、大丈夫よ。それが兄さん、佐賀町の舟宿に向かったのよ」

「増さんとお絹は舟宿に泊まっているってことか？」

「舟茂《ふなしげ》？　舟清《ふなせい》？　それとも升田屋《ますだ》か？」

正吉が慌てて近づいて来て直次郎に訊いた。

正吉の家は佐賀町の舟宿の近くで、結構大きな搗《つ》き米《ごめ》屋をしている。

「あら、搗き米屋の馬鹿息子じゃないの」

直次郎は正吉に気づくと、いつもの毒舌を吐いた。正吉は、むっと頬を膨らませた。

「人を馬鹿馬鹿言うな。馬鹿馬鹿言うは手前ェの馬鹿を知らぬ馬鹿」

正吉は親からでも教えられた文句を説教めかして言う。

「何言ってんのよ、ばあか」

直次郎は怯《ひる》まず、駄目押しのように吐き捨てた。弥八は、ぷっと噴いた。伊三次はそんな弥八をぎらりと睨み「直次郎、正吉をからかうな。こいつはこいつなりに増さんを心配しているんだから」と言った。

「そうそう、あんな親分じゃ本当にお気の毒」

直次郎は二杯目の麦湯を啜りながら言った。

「それで増さんは、まだその舟宿にいるんだな？」

「多分そうよ。今頃、手形を落としたと思って慌てて探しているわよ」

「よし、弥八。不破の旦那に知らせろ」

「いいんすか？　不破の旦那で。緑川の旦那の方が話は早ェんじゃねェですか？」

弥八は余計なことを言う。

「また、お前ェもうるせェ野郎だ。増さんから十手を取り上げてェのか？　薄情者！」

伊三次は思わず高い声を張り上げた。奉行所とは関係なく収まりをつけようとしていることに弥八はようやく気がついた。

「馬鹿がもう一人……」

直次郎は低い声で呟いた。

「なに？」

顔色を変えた弥八の袖を、おみつがそっと引いた。

「早く行け。おれと正吉はその舟宿に行く。店の名は何んという？」

「舟茂よ。兄さん、あちしも一緒に行っていい？　お絹の顔、拝まして貰いたいから」

直次郎はにやりと笑って腰を上げた。

「姉さん、ご馳走様。本当に姉さんはきれい、きれえねえ。惚れ惚れしちゃう。兄さんにもったいないぐらい……」

たっぷりと媚びを滲ませてお文に言った直次郎の後頭部を伊三次は手加減せずに張っていた。

「痛ッ」

「来るんなら早くしろ。置いて行くぞ」

「行くわよ、行くわよ。何よ、ぶたなくてもいいじゃないの」

直次郎はぶつぶつ言いながら伊三次の後から外に出た。

舟茂は佐賀町の油堀《あぶらぼり》に面した所にあった。その辺りは舟宿が何軒も軒を連ねている。舟茂は一番大川寄りにある見世だった。

伊三次が舟茂の暖簾をくぐると、お内儀が愛想笑いを貼りつけて出てきた。伊三次は人差し指を唇に押し当てる仕種をした。

「八丁堀の御用をしているもんです。ちょいとお静かに願いやせんか？」

伊三次が低い声で言うと四十絡みのお内儀は途端に笑顔を消し、青い顔になった。

「うちの見世に何か不都合でもございましたでしょうか」

「ここに女の客が泊まっているな？」

伊三次の問い掛けにお内儀は後ろの梯子段を振り返った。どうやらお絹は二階の座敷にいるようだ。

「仲町の親分も一緒ですかい？」

「親分はさきほど外に出かけて行きましたけど……」

お内儀はひそめた声で応えた。

「上がらして貰っていいですかい？」

「でも、親分のお許しがないと、それは……」

仔細を説明するのが面倒だった伊三次は、目の前のお内儀の身体を押し退け、梯子段に足を掛けた。後から正吉と直次郎が続いた。

がらりと襖を開けると櫛巻《くしまき》にした女が煙管を取り落として伊三次達を見た。

「すっ転びお絹だな？」

お絹はそう訊いた伊三次に何も応えず、黙って煙管を拾い上げると口にくわえた。平静を装っていたが、指が小刻みに震えている。

「ちょいとお前ェに御用があるんで、番屋まで来て貰おうか」

「親分が戻って来るまで待って下さいな」

お絹は低い声でようやく言った。その声は耳にまとわりつくような、ねばっこいものが感じられる。

「いいや、待たれねェ。増さんはお前ェを逃がす算段をしているんだろう」

「待ってと言ってるんだ。どうでもあたしをしょっ引くと言うなら……」

お絹は右手の人差し指と中指を揃えて首筋にあてがった。中に剃刀の刃を忍ばせていた。

「自害するよ。いいのかえ？」

お絹は脅すように言う。その顔が凄みを帯びている。陶器のように白い肌はすべすべとしてしみ一つない。眉は濃く、ふた皮眼《かわめ》は、ぱっちりと見開かれている。化粧は全くしていないのに唇は薄紅色をしている。お文が言ったように、危うい商売をしなくても他に幾らでも勤め口があるというものだった。

「お絹、もう瀬戸際よ。親分が来ようとどうしようと、どの道、お前の命はないよ。すぱっとやったら？　あちし、お前の最期をとくと拝見しているから」

直次郎は襖に背を凭《もた》せ掛け、懐手《ふところで》してお絹に言った。

お絹の声が掠《かす》れた。

「お前、浅草の巾着切りだな？」

「おや、覚えててくれた？　親分の手形を掏ったのあちしよ。あちし、お前と違って刃物は使わないから、親分、掏られたことさえ気がつかなかった。本当の稼ぎ人ってこうなのよ。お前のやっていることは稼ぎ人の風上にも置けないわ。ふん、いい気味」

「野郎！」

お絹は口汚く罵《ののし》ると、いきなり立ち上がり直次郎に殴り掛かった。女のくせに勢いがいい。正吉は恐れをなして後ろに下がった。直次郎はくるりと体を躱し、お絹に足払いを掛けた。お絹は呆気なく廊下の板の間に倒れた。それでも右手は応戦の構えでいる。

伊三次がお絹に近づくと、お絹は倒れた恰好のまま後退りした。

お絹の目線が伊三次から逸《そ》れた。そう感じた瞬間「あんたあ！」とお絹は悲鳴のような声を上げた。振り向くと増蔵が梯子段を上ってきたところだった。伊三次と眼が合うと、さすがに驚いた表情になった。

「増さん、どうするつもりだ？」

増蔵はすぐには応えない。お絹はすばやく増蔵の後ろに縋りついた。

「緑川の旦那が必死で捜しているぜ。あの人に見つかったらただじゃ済まねェ……今なら不破の旦那が何んとかして下さる。増さん、お絹を茅場町に連れて行くんだ」

伊三次は諭すように増蔵に言った。

「お上の御用は退くつもりだ。おれ達は村に帰る。もう決して江戸の土は踏まねェ。伊三次、見逃してくれ」

増蔵は俯いてそう言った。

「正気なのか？」

伊三次は信じられないという顔で増蔵に訊いた。

「ふん、お絹に骨抜きにされちまって、様《ざま》ァ、ないわね」

直次郎が吐き捨てた。

「増さん、お内儀さんと増吉《ますきち》と、おていちゃんはどうするつもりよ」

伊三次はお勝と二人の子供のことを持ち出した。

「お勝はしっかり者の女だ。おれがいなくても何んとかやって行ける。だが、こいつはおれがいなけりゃどうにもならねェ女なんだ。子供達のことは……」

増蔵はそこで、しばらくの間黙った。

「お絹は増さんの何んなんだ！」

伊三次は癇を立てた。

「前の女房なんだ」

「はん？」

直次郎が小馬鹿にしたように笑った。

「親分……」

正吉が涙声で口を開いた。

「行かねェで下せェ。深川にいて下せェ。親分の言うこと、何んでも聞きます。もう馬鹿なことはしやせん。女湯も覗きやせん。だからどうか親分、目を覚ましておくんなさい。お絹は巾着切りで捕まった女です。科人です。科人を逃がしちゃ駄目です。ちゃんと番屋に送ってお裁きを受けさせなきゃ駄目です。だって親分は仲町の親分だから……親分が科人の味方しちゃ、親分も科人になっちまいやす。おていちゃんが可哀想です」

正吉は仕舞いには、おいおいと声を上げて泣き出した。増蔵は俯いて何も応えない。

お絹はそんな増蔵の横顔を黙って見つめていた。

「全く嫌やになる。馬鹿に説教されていたんじゃ、仲町の親分も形なしね。奥山の三文芝居より質《たち》が悪いわよ」

直次郎の悪態に業を煮やし、伊三次はその横面を張った。

「痛ッ、もう今日は二回もやられたわよ。兄さん、あちし、兄さんに力を貸したんじゃないの。恩を仇で返すの？」

「手前ェ、人の気持ちってのがわからねェのか？」

「何よ」

直次郎が口を返した時、目の前に血飛沫《ちしぶき》が飛んだ。一瞬、伊三次は何が起きたのかわからなかった。しかし、お絹はずるりと板の間に倒れた。お絹は首筋に剃刀の刃を当て、いっきに引いたのだ。

「お絹、お絹」

取り乱した増蔵の声が芝居掛かったように聞こえた。廊下に赤黒い血がみるみる拡がった。

お絹は弱った金魚のように口をぱくぱくさせていた。

「手前ェらが余計なことを喋ったせいだ」

増蔵は伊三次達を振り向いて怒鳴った。

「正吉、医者を呼んで来い！」

伊三次は正吉に慌てて言った。

「へい」

正吉は増蔵とお絹の横をすり抜けて階下に下りて行った。

お絹を抱き起こした増蔵の着物も手も腕も血に染まった。直次郎はあまりのことに掌を口に当てて身動きできないでいる。伊三次も呆然とその場に立ち尽くしていた。

お絹は苦しさに喘《あえ》ぐ。増蔵はうんうんと肯き、お絹を抱き締める。お絹は安心したように眼を閉じた。血だらけ、血みどろの、それは地獄絵の一つでもあったろうか。増蔵の鬢《びん》の後れ毛が細かく震えていた。

増蔵は泣いていた。お絹恋しと泣いていた。そんな増蔵の姿は、伊三次が初めて見るものだった。

心底、惚れた女のために何も彼《か》も捨てようとした増蔵は鬼か蛇《じゃ》か。そうではあるまいと伊三次は思う。思ったが、その時の伊三次には何ができる訳でもなかった。しかし、目の前の地獄絵から目を逸らすこともできなかった。

六

深川の島崎《しまざき》町の客の家を出た時、西の空は朱《あけ》に染まっていた。廻り髪結いの伊三次の仕事はようやく終わった。お文はすでに茶屋に出かけただろう。蛤町には寄らず、まっすぐ茅場町の塒に戻るつもりだった。

島崎町の近くの崎川橋《さきかわばし》を渡ろうとして伊三次の足が止まった。増蔵が欄干に凭れて、じっと水の面を見つめていたからだ。

崎川橋は仙台堀の続きの二十間川に架かっている橋である。目の前は細川越中守《ほそかわえっちゅうのかみ》の屋敷、川を挟んだ北側は田圃で、その向こうに広大な十万坪が拡がっている。

「増さん……」

伊三次はさり気なく増蔵の背中に声を掛けた。振り向いた増蔵は少し驚いた顔をしたが「山丁《やまちょう》の帰りか」と訊いた。山丁は島崎町の大工の親方である。

「さいです。いつもながら早く早くと急かされて往生しやした」

伊三次は苦笑混じりに言った。山丁の親方は有名な我儘者であった。

「どうしたんです、こんな所で」

伊三次は増蔵の横に並んで同じように川を眺めた。川は満ち潮になっているのかどんどん水嵩が増している。

「おれが親父から十手を引き継いだ頃、この辺りは堀の水が溢れて道が水浸しになることが多かったんだ。ちょいとそれを思い出してな」

親父というのはお勝の父親のことだった。木場の堀は地面より高いのでそういうことになるのだろう。

「大雨でも降ったら、それこそ目も当てられねぇ様《ざま》になった。堀の堰《せき》を加減するのは川番の奴らでよ、その川番と近所の奴らは堰を開けろ、開けないでしょっちゅう喧嘩していたんだ。今は、でぇぶ埋め立てが進んだから、そんなことも少なくなったが」

「堰を開けてまずいことがあるんですかい？」

「堀の丸太が流されるじゃねぇか。それを元に戻すのが手間だからよ。川番は川並鳶《かわなみとび》が交代でやっていたから」

「なある……」

「ここらは縄張《しま》違げぇだが、おれは喧嘩の仲裁に何度も助っ人で来たものよ。喧嘩の起きる堀は決まっていたんだ。だから親父はそんな堀を因果堀《いんがぼり》と呼んでいた。江戸にゃ因果堀が他にもあるぜ」

増蔵が何を言いたいのか伊三次はわからなかったが、伊三次は黙って増蔵の話を聞いていた。

「おれの生まれた村にも同じようなことがあった。村は利根川の支流から田圃に水を引いていたんだ。麦と藍《あい》を作っていた。やっぱり堰を開ける、開けないで喧嘩していた。堰を開けりゃ上の田圃に水が行かねェ。閉めりゃ下の田圃に行かねェ。埒の明かねェ喧嘩が繰り返されていたものよ」

「それで嫌やになって、増さんは江戸に出て来たって訳ですかい？」

「まあな。だが、それだけじゃねェ。お絹は秋の収穫の実入りが悪いとこぼすと、すぐにそのう……巾着切りの技《わざ》を使うのよ」

「根っから手癖の悪い女なんだ。足腰立たねェほど折檻しても癖は直らなかった」

「……」

「………」

「この女と一緒じゃ、いずれ地獄行きだと思った。それで出稼ぎに行く振りをして村を出た。お絹は村はずれまで送ってくれたが、その時、おれの様子から、すぐには戻って来ないと思ったんだろうな。仕舞いにゃ橋の上でおれの足に縋りついて引き留めたのよ。おれはそんなお絹を蹴飛ばすと、お絹は川に嵌まって流された」

「助けなかったんですかい？」

「死ねばいいと思った……その時はよ」

「それぎり、おれはお絹のことを忘れたつもりだった。だが、お勝と所帯を持って十手、捕り縄を預かるようになると、川に蹴飛ばして見殺しにしたお絹のことが妙に気になってきたんだ」

「……」

「そういう者が岡っ引きをしてていいのかと?」

伊三次が訊くと増蔵は大きく肯いた。増蔵は材木の運搬人として働いていた。真面目に働く増蔵をお勝の父親が見込んだのだという。

「だが、お絹は生きていた。それどころかおれのことを、じっと待ち続けていた。女一人で田ァ、守るのはどうしたってできねェ。お絹は近所の手を借りて手前ェの喰い扶持ぐらいは何んとか賄《まかな》っていたようだが、去年、とうとう田ァ、手離した。それでおれを捜しに江戸へ出て来たという訳よ。伊三次、信じられるか? こうと十年の間、お絹はおれが村に帰るのを待っていたんだぜ」

「……」

増蔵がお絹を庇ったのは、そうして置き去りにしたお絹への罪の意識だったのだろう。増蔵はお絹への償いのために一緒に逃亡しようとしたのだ。守るべき田のない村に戻ったところで詮のない話だったとしても。

「それによ、あんな仕打ちをしたのに、お絹はおれを恨んじゃいなかった……そいつが心底、こたえた」

「増さんは噂になっている巾着切りがお絹だと、すぐにわかったんですかい？」

「ああ」

「どうしてひと言、言ってくれなかったんです？」

「言えば見逃してくれたか？」

増蔵は試すように伊三次に訊いた。

伊三次はぐっと詰った。仔細を明かされたら自分はどうしただろうか。伊三次は返事の代わりに大きく吐息をついた。

「すまねェ……つまらねェことを言っちまった」

増蔵は取り繕うように、ふっと笑った。

お絹は医者が手当をしたが、多量の出血のために、あの日の夜中に息絶えたのだ。

不破は緑川に、お絹が逃亡し、それを捜していたために大番屋に連行することができなかったと増蔵の立場を説明した。緑川はそれで納得した様子でもなかったが、下手人が死んでは、もはやどうすることもできない。さっさと奉行所に書類を提出して、この度の事件にけりをつけてしまった。

増蔵は不破に十手を返すつもりだった。しかし、不破はそれを許さなかった。不破と増蔵との間にどんな話が交わされたのか伊三次は知らない。だが、増蔵は以前と同じように門前仲町の縄張を守っていた。

「お絹、増さんに逢えて本望だったでしょうよ。増さんが岡っ引きをしていると知って、手前ェから捕まりに深川にやって来たんですね？」

「……」

「そいで増さんがどう出るか、試したんじゃねェですか？」

「試したってか？」

増蔵は真顔になって伊三次を見た。

「あい。おれはそんな気がしやす。お内儀さんはともかく、増さんが二人の子供を捨てられるのかどうか……」

「おれはそこまで深く考えちゃいねェ。あの時は嬶《かか》ァのことも餓鬼のことも頭にゃなかった」

「いや、拘《こだわ》っていたのはお絹だと思いやす。おれと正吉がお内儀さんと子供のことを持ち出したすぐ後に剃刀を使ったじゃねェですか」

「……」

「増さんの答えを聞くのが怖かったんじゃねェですかい？……いや、今、ふっとそう思ったことですがね」

「……」

「いい女でしたね」

伊三次はしみじみした口調で言った。堀の水嵩はさらに増えたような気がする。

「あんな田舎女……」

増蔵は汀をたぷたぷと洗う堀の水に眼をやりながら独り言のように呟いた。

「さっさと別の男を見つけて一緒になってりゃよかったのに……」

そう言った増蔵の顔にひとすじの風が吹きつけた。その風の心地よさに増蔵は眼を細めた。風は夏が終わり、もう秋だと告げていた。

ただ遠い空

一

弥八とおみつの祝言が間近に迫っていた。

弥八は京橋の湯屋「松の湯」の三助をしているが、主の留蔵の養子となった男である。留蔵は湯屋を商う傍ら、日本橋、京橋を縄張にする岡っ引きでもある。その子分の弥八は心底留蔵を慕っていた。子のなかった留蔵は考えた末に弥八を養子として迎えた。言わば弥八は松の湯のれきとした跡取りになる訳だ。

これで弥八がおみつを娶《めと》り、二人で松の湯を守《も》り立て、今まで通り、弥八が留蔵の子分として御用の手助けをすれば、まことに万々歳の話であった。

ところが祝言が近づくにつれ、おみつの表情が浮かなくなった。ここに来て突然の心変わりかと弥八も周りの者も大層心配したが、そうではなかった。おみつは深川芸者のお文の女中をしているので、自分の代わりの女中が決まっていないことを気に病《や》んでいたのだ。

後のことは何んとでもなるさ、とお文が言ってもおみつは納得しなかった。姉さんを一人にしておけないの一点張りである。

松の湯では裏の敷地に別棟《べつむね》の住まいを普請し、そこに箪笥や鏡台、新婚夫婦の所帯道具を揃えて待ち構えている。お文は長い間自分に尽くしてくれたおみつのために花嫁衣裳を張り込んだ。最屓《ひいき》にしている呉服屋で白無垢を誂えてやったのだ。呉服屋でのおみつは嬉しそうだった。もはや祝言を挙げるばかりで何も案ずることはない。

だから、お文は嫁入りまでの短い時間を、せめて佐賀町のおみつの実家で親子水いらずで過ごさせてやりたいと思っているのに、おみつは一向に戻ろうとしなかった。おみつの母親が心配して迎えに来ても首を縦に振らない。祝言の仕度もあれこれとあるのに、おみつが戻らなければどうしようもない。どうしたらいいものかとお文は頭を悩ましていた。

夜のお座敷でもそのことが気になって、つい朋輩《ほうばい》の芸者達に愚痴を洩らすことが多くなっていた。朋輩芸者から早く新しい女中を見つけることだと諭された。それはそうだと思っていても、お文の気に入るような女中は、おいそれとは見つからなかった。

その話はいつの間にか喜久壽《きくじゅ》の耳にも届いたらしい。喜久壽がお文の家を訪ねて来たのはおみつの祝言の半月前のことであった。

「姉さん、お客様です」

おみつは朝寝から覚めたお文に声を掛けた。

「誰だえ？」

「喜久壽姐さんです」

「姐さんが？」

お文は慌てて羽織った半纏の襟に手をやり、うなじの後れ毛を撫でつけた。喜久壽にはおのずと緊張を覚えた。喜久壽はお文にとって好敵手とも言える芸者である。

「お通ししておくれ」

お文は部屋の隅に重ねてある座蒲団の一枚を取り上げておみつに言った。

喜久壽は遠慮がちに茶の間に入って来た。

「突然伺いまして申し訳ございません。お休みになっていたんじゃござんせんか？」

喜久壽はお文が出した座蒲団をさり気なく傍《そば》に避《よ》けて口を開いた。

「いえ、ちょうど先刻起きたばかりですよ。こんな恰好でわっちこそご無礼致しますよ」

お文は恐縮して頭を下げた。喜久壽は黒八《くろはち》を掛けた太縞の袷《あわせ》を着ていたが、胸許はきっちりと詰めている。帯も普通に結んでいた。

普段の姐さんはとても芸者に見えないとお文は思う。町家のお内儀と言っても立派に通用するだろう。

「いい子ですね」

喜久壽は台所で茶の用意をしているおみつを振り返って言った。喜久壽は丸顔で鼻もそれほど高くはないが、どことなく品を感じさせるものがある。それに三味線の腕がいいと土地では大層な評判を取っている芸者だった。

「もうすぐ祝言を挙げるんですよ」

お文が言うと喜久壽は「存じておりますよ」と訳知り顔で応えた。髪も自分で結ったらしく、夜のお座敷で見るような大振りの髪型ではなく、引っ詰めの丸髷《まるまげ》だった。藤色のてがらがよく映っている。唇にほんの少し紅を刷《は》いていることを除けば喜久壽はほとんど素顔だった。それが喜久壽の昼の顔なのだろう。

「緑川の旦那からでもお聞きになりましたか？」

お文は火鉢に屈《かが》み込み、煙管に火を点《つ》けながら訊《き》いた。北町奉行所、隠密廻り同心の緑川平八郎と喜久壽は幼なじみで、今も親しいつき合いをしている。それが男と女の関係なのかどうかまでは、お文は知らない。

「ええまあ……」

喜久壽は曖昧に相槌を打った。お文は喜久壽が訪ねて来た理由がわからない。喜久壽とはこれまで気軽に家を行ったり来たりする仲ではなかったからだ。

おみつが茶を運んで来ると「祝言の仕度でお忙しいでしょうね」と喜久壽は優しく言葉を掛けた。おみつは照れたような笑顔で「はい」と応えた。

おみつは茶を出すと、すぐに台所に引っ込み、襖を閉じた。話がありそうな喜久壽にさり気なく気を遣っていた。

「あの娘さん、お名前は何んとおっしゃったかしら」

「おみつですよ、姐さん」

「そうそう、おみつさんでしたね。この頃、もの忘れがひどくて……嫌やですねえ、年を取るのは」

「何をおっしゃるんですか。姐さんはまだまだ若い。小皺一つないじゃないですか」

「ありますよ、文吉さん。ほら、ここ」

喜久壽は目尻にあるかなしかの小皺をお文にわざと教える。そんなことはしなくてもいいのにと、お文は内心で苦笑した。

「ところでね、今日伺ったのは新しい女中さんのことなんですが……おみつさんがいなくなったらご不自由でしょう？」

喜久壽は茶を一口飲むとお文に向き直った。

「ええ。それはそうですが、でも、そんなことまで姐さんにご心配を掛けていたとは思いも寄りませんでしたよ」

お文はさらに恐縮して頭を下げた。喜久壽はお文が吐き出した煙管の煙を眼で追い掛けながら「二、三ヶ月、預かってほしい子がいるんですよ。半年なら大助かりですけどね」と言った。

短い期間がお文には解せなかった。何やら訳ありな様子も感じられる。面倒な娘ならごめんだった。

「その子、今、あたしが預かっているんですよ。でも、あたしの所はおゝ、おしががいますでしょう？　家の中は女中を二人も置くほど広くないし、何より、おしがとうまくいかないので困っているんです」

「うまくいかないとは？」

お文は怪訝な顔を喜久壽に向け、火鉢の縁で煙管の雁首を打って灰を落とした。

「おしがと気が合わないんですよ」

「………」

「おしががどんどん落ち込んで行くのが不憫で……おこなは十九で、おしがより年上になりますから結構、遠慮のないもの言いをしましてね、それに対して、おしがは口を返せないんですよ。全くどうしたらいいものか……」

喜久壽はそう言って吐息をついた。喜久壽の家のおしがという女中はおみつと同じくらいの年だが、ひどくおとなしい娘だと聞いていた。相手が利かん気な娘では言いなりになってしまうだろう。無理もないとお文は思った。おこなというのが当の娘の名前らしい。

十九と言えば普通なら嫁に行っている年頃である。そういう娘をどうして喜久壽が預かることになったのか、お文はそちらに疑問が湧いた。

「詳しい話をして下さいな。姐さんの話はどうも合点がいかない」

ずばりと言ったお文に喜久壽は眼をしばたたいた。

「ごめんなさい。肝心なことを後回しにするのはあたしの悪いくせだ」

喜久壽は自分を戒《いまし》めるように呟くと「おこなは緑川の旦那が連れて来た子なんですよ」と言った。

開け放した障子の外に初秋の柔らかい陽射しが降っている。庭の紅葉や楓はまだ青いままだが、それも季節が深まるにつれ次第に色づいて来るだろう。お文は煙管に新しい刻《きざ》みを詰めながらそんな庭に時々眼をやった。

昼前の蛤町はもの売りの間延びした声が聞こえるだけで、静かだった。

襖の外でおみつが話を聞いている様子があった。新しい女中の話となると聞き耳を立てずにはいられないのだろう。お文はそれを察して「おみつ、ちょいと買物に行って来ておくれ。菓子屋に寄って、よさそうなのを見繕って来ておくれな。昼から伊三さんが来るかも知れないからね。それと晩のお菜もついでに頼むよ」と声を張り上げた。

「はい」と気後れしたような返事があった。

おみつが出て行くと喜久壽は座り直した。

「おこなの面倒を見られるのは文吉さん、あなただけです。そこを見込んでお願いするんですよ」

喜久壽は真顔で言った。

「おやまあ、わっちは喜久壽姐さんにそんなに持ち上げていただくほどの器量がありましたかねえ」

お文は喜久壽の話をはぐらかすように笑った。

おこなは本所の回向院前にある「姫だるま」という茶屋にいた女だった。姫だるまは招き猫が商売の縁起物として江戸で流行したことに暗示を得て、主が土で拵えた大きな姫だるまを看板代わりに見世の前に置いて評判を取っていた。客に言わせれば吉原でも辰巳でもない独特の風情がある見世だそうだが、なに、裏に回れば奥の座敷に客を引っ張り込んで怪しげなこともする新手の私娼窟に過ぎない。

おこなはその姫だるまの主の後妻に迎えられた女だという。

「亭主持ちだったんですか」

お文は少し気を殺《そ》がれた顔で言った。身の周りの世話は、できれば嫁入り前の娘に頼みたいと思っている。

「ええ、そうなんですが……」

喜久壽も気後れした表情になった。お文が僅かに眉根を寄せたせいだろう。

「それで？　おこなさんは夫婦別れでもしたんですか？」

「いいえ。でも亭主の弥兵衛《やへえ》は今、寄場《よせば》送りになっております」

（おおこわや）と、お文は胸の中で呟いた。

だが喜久壽は意に介したふうもなく言葉を続けた。

「文吉さん、憶えちゃいませんか。三年ほど前に姫だるまで心中騒ぎがあったのを」

「さて……聞いたような聞かないような」

「弥兵衛の前の女房が客と刃物で心中を図ったんですよ」

そんなことがあったような気もしたが、お文はよく憶えていなかった。

「それで二人はどうなっちまったんです？」

「可哀想に二人とも死んでしまいましたよ。前の女房はお綱《つな》という三十五、六の年増でしたけど、客の方はまだ二十代でした。遠州《えんしゅう》屋という古着屋の手代をしていたそうです」

「どうしてまた、そんな思い切ったことをしたんでしょうねえ」

吉原ならいざ知らず、小見世のお内儀と客が心中するなどどうしても合点がいかなかった。

「世の中には色んなことがありますからねえ」

喜久壽は吐息を一つつくと姫だるまの心中事件のことをぽつぽつと話し出した。

お綱は弥兵衛の女房であったが、自分も見世に出て客の相手をしていた。古着屋の手代をしていた八兵衛は姫だるまの看板に惹かれて見世に揚がったのが運のつきだった。優しく話を聞いてくれたお綱にぞっこんとなってしまったのだ。主の弥兵衛は人の気を惹く商売をひねり出す才覚はあるが、根っからの遊び人で博打好きである。見世は女達に任せて自分は外で遊び暮していた。見世に戻るのは遊びの金を持ち出す時ぐらいだった。

ところが、たまに戻った時に、お綱が相手をする八兵衛を見たのである。お綱に鼻の下を伸ばす八兵衛を弥兵衛はいいかもと捉えた。お綱には絞れるだけ絞り取れと命じた。お綱は最初の内こそ弥兵衛の言う通りに甘い言葉で八兵衛を誘って金を遣わせていた。八兵衛はお綱の言うことに決して嫌やとは言わなかった。しかし、一年ほどなじみを重ねるとお綱は八兵衛が気の毒になった。古着屋の手代の身分では頻繁に姫だるまに通えるほどの給金は貰っていないだろうと思ったのだ。

案の定、八兵衛は親きょうだい、親戚、友人、知人から借りられるだけ金を借り、それでも足りなくて店の金に手を付けていた。

毎月の帳簿は何んとかごまかせるが、一年の総決算である大晦日にはそれが発覚する。掛け取りに廻って一人も金を回収できないとなれば店の主も怪しいと考えるのが普通である。しかもこの古着屋の主は少々やくざ者の気《け》があり、その時にはどんな報復をされるか知れたものではなかった。

八兵衛はお綱の再三の問い掛けに、とうとう本当のことを白状したようだ。手を付けた金は百両をとうに超えていた。

「百両も」

お文は喜久壽の話に眼を剝いた。

「実際はそんなもんじゃありませんでしたよ。よそに借りた分を入れると三百両にも及んだでしょうよ」

喜久壽はしかし、あっさりと言った。どうすればそんな大金、薄汚い小見世に遣えるのだろうと思った。やがて八兵衛の所業は古着屋の主に知れるところとなった。主は耳を揃えて今すぐ金を返せと八兵衛に迫った。

「それで手に手を取って心中ですか」

お文は呆れたように言った。

「お綱は弥兵衛と違い、人のいいところがありましたからね。亭主は見世に寄りつかず、女房なのにろくに相手もして貰えない。よそに女の影も見える。お綱もいい加減、馬鹿馬鹿しくなったんでしょうよ。だけど、弥兵衛に見切りをつけて八兵衛と一緒になったところで先は見えている。切羽詰まった二人はとうとう事に及んだんですよ。その事件、緑川の旦那が扱ったんです」

「ああ、なるほど」

お文はようやく姫だるまと緑川の関わりに納得がいった。しかし、弥兵衛が寄場送りになったことと、後妻のおこなを喜久壽が引き取った理由は依然、わからなかった。

「弥兵衛はどうして寄場送りになったんです？　それにおこなさんのことは？」

お文が訊くと喜久壽は湯呑の中身をすっかり飲み干して「続きがあるんですよ」と応えた。

お文は急須に鉄瓶の湯を注ぎ、喜久壽の湯呑を引き寄せた。喜久壽は「文吉さんのところのお茶はおいしいですね。伊三次さんはお菓子が好みだそうだから、茶の葉にも気を遣うんでしょうね」と、ふわりと笑った。その表情はからかっているふうでもなかった。喜久壽は伊三次に一目置いている様子が窺われた。

お文はそれが嬉しいと思う。料理茶屋のお内儀達のように金のない伊三次を小馬鹿にしない。それは緑川の影響かとふと思った。

「たまには銚子の酒を差しつ差されつしたいと思うのに、あっちは下戸《げこ》ときてる。こっちが冷や酒を舐めている傍で、あんころ餅なんぞを頬張っているんですからね」

お文は情けないような口ぶりで言った。

「いいじゃないですか。あんころ餅で竈《かまど》の底を抜いた者はいませんよ。案外、いい組合せなのかも知れませんよ」

「姐さんは？　姐さんは緑川の旦那をどんなふうに思っているんですか？　いえね、一度訊いて見たいとは思っていたんですよ」

「あらあら、これじゃ、やぶへびだ」

喜久壽は大袈裟に笑って片手を頬に当てた。

「あたしのことはいいじゃござんせんか。向こうは奥様がいらっしゃるし、あたしも長年世話になっている旦那がおります。この先、どうかなろうなんて考えちゃいないんですよ」

「………」

「一度はね、一緒になりたいと思い詰めたこともありましたよ。もうずっと若い頃のこと。まだ、旦那が奥様をお迎えにならなかった時ですよ。でも、旦那のお母様の反対があって、どうしてもそれは叶わなかった。無理もありませんよ。あたしの父親は旦那の所で下男として働いていたんですから。下男の娘を緑川家の嫁に迎えるなんて……お母様にすれば承服できなかったんでしょうよ」

そう言った喜久壽は寂しそうだった。

「旦那とはそれから長いこと会わなかった。あたしはたまたま三味《しゃみ》の筋がいいのを買われて芸妓屋に奉公するようになったし、旦那が会いに来ても追い返したんです」

「姐さん、辛かったでしょうね」

お文がそう言うと喜久壽の眼は赤くなった。

「だから何も彼《か》も忘れたくて一所懸命に三味のお稽古に励んだんです。お蔭で芸者として何んとか食べて行けるようにはなりましたけどね。旦那に再び会うようになったのは、ほんの二、三年前からなんですよ」

喜久壽の三味線の腕はそんなことで磨かれたのかとお文は思った。愛しい男を忘れるために励んだ芸ならば、おのずと凄みも帯びて来ようというものである。叶わないとお文は思った。

「今はもう、惚れたとか惚れられたとか、そんなものはどこかに行ってしまって、あたしの三味に合わせて旦那が下手な尺八を吹いて下さるのが無上の楽しみでござんすよ」

「まるで翁《おきな》と媼《おうな》のような」

お文が感想を洩らすと喜久壽はようやく笑った。

「本当ね。年寄りみたいですよ。あらあら、お話が横道に逸《そ》れちまいましたよ。全く文吉さんは喋らせ上手なんですから……」

喜久壽はそう言っていつもの表情になった。

弥兵衛はお綱の葬儀を済ませると、すぐにおこなを後妻に迎えた。姫だるまでは、おこなはよく稼ぐ妓だったので、弥兵衛は先のことを考えてそうしたらしい。そこには男と女の情というより、どちらにも、自分に都合のよい計算が働いていたと思われた。

遠州屋の主は八兵衛が心中したというのに手を付けた金の返済を八兵衛の親きょうだいに迫った。親きょうだいはそれを承知する訳がなかった。自分達もさんざん八兵衛に無心されていたのだから。親きょうだいが当てにならないと知ると遠州屋は、今度は姫だるまに返済を要求して来た。しかし、弥兵衛もそれをすげなく蹴った。弥兵衛のやり方がよほど癇に障ったのだろう。遠州屋は知り合いのならず者を使って脅しを掛けて来た。

緑川は弥兵衛を表向き、博打の廉《かど》でしょっ引いた。そうでもしなければ弥兵衛の命が危ないところまで追い込まれていたからだ。弥兵衛は三年間の人足寄場送りの沙汰となった。おこなは弥兵衛がいなくなると姫だるまを逃げ出して緑川を頼った。行く所がないおこなを緑川は喜久壽に預けたのだ。

「それで姫だるまはもう商売をやっていないのですか？」

お文が訊くと「いえ、弥兵衛が戻って来るまでの間、借金の形《かた》に商売の権利を取ったんです。今は遠州屋がやっております」と喜久壽は応えた。

「古着屋も抜け目がない」

お文は感心した声で言うと喜久壽は一瞬、咎めるような眼になった。

「ですから、この三年の間には遠州屋も手代が拵えた借金を大抵取り戻したことでしょうよ」

「姐さん。三年前と言ったら、おこなさんはまだ十六じゃないですか。弥兵衛はいったい幾つだったんです？」

お文はふと気づいて訊いた。

「弥兵衛は……四十を五つ、六つ越えていましたかねえ。そろそろ五十の声を聞くでしょうよ」

お文は今度こそ驚いた。十六の小娘が四十半ばの男の後妻になったのだから。

「ませた子なんですよ」

そう言った喜久壽はお文を上眼遣いで見ている。その眼には、お文もかつて、かなり年上の旦那を持っていたではないかという意味が込められているような気がした。冗談じゃないと思った。お文は喜久壽に甘く見られたかと、むっと腹が立った。

「姐さん。せっかくですが、このお話、聞かなかったことに致しますよ」

「お文さん……」

お文はまだ話を続けたそうな喜久壽を遮った。

喜久壽はつかの間、黙ったが、ゆっくりと肯き「申し訳ありません。お邪魔致しました。伊三次さんによろしく」と頭を下げて帰って行った。お文は何か悪いことをしたような気もしたが、後々面倒なことが起こるのを恐れた。これでよかったのだと自分に言い聞かせていた。

二

ところが喜久壽がやって来て三日後に、そのおこなが突然お文を訪ねて来た。ちょうどお文がお座敷へ出るための仕度をしている時だった。伊三次に髪を結って貰い、箱屋の六助《ろくすけ》に出《で》の衣裳の着付けをさせていた。

「姉さん、お客様です」

おみつが声を掛けた。おみつの表情は堅い。

その朝も実家に帰れ、帰らないでお文とおみつは口争いをしたのだ。

「わっちはこれからお座敷に出かけなけりゃならない。忙しいんだよ」

「でも、お猫《ねこ》さんという方が……」

「何んだって？　猫だって？　大抵ふざけた名だ。追い返しな」

お文は癇を立てた。もの貰いか何かだと思ったのだ。

「よう、お猫がどうしてふざけた名前なんだよ。あたいの権兵衛名（源氏名）を馬鹿にしてくれるじゃないか」

上がり框《かまち》に両手を突いた娘がこちらを睨んで声を張り上げた。やけに威勢がいい。

「お前ェは誰だえ？　わっちはお前ェなんざ知らないねえ。さっさと帰っとくれ」

お文は怯まず声を荒らげた。

「何か用かい、娘さん」

火鉢の傍に座っていた伊三次が腰を上げ、土間口まで出て行って訊いた。

「この家で女中をほしがっていると聞いたからさ、やって来たんだよ」

「お前ェはどこの口入れ屋（周旋屋）から来た？」

伊三次はその娘に畳み掛けた。伊三次もおみつの代わりの女中を顔見知りの口入れ屋にそれとなく頼んでいたのだ。

「口入れ屋じゃないよ。あたいは摩利支天《まりしてん》横丁の喜久壽姐さんの家にいた者さ」

「それじゃ、お前ェはおこな！」

お文が甲高い声を上げた。その娘はお文の声を聞くと両手で耳を塞いだ。

「嫌やだ、嫌やだ。その名前は聞きたくない。おこななんて大嫌いだ。あたいは猫さ。猫でいいんだよ」

箱屋の六助は喉の奥でくすりと笑った。六助はまだ二十歳だが、着物の着付けの腕が大層いい。時間が経っても着崩れが少なく、しかも帯が少しも苦しくならない。お文はこの頃、六助を名指しすることが多かった。

「おもしろい娘さんですね、姐さん」

六助は手を動かしながら言った。

「娘なものか。亭主持ちだよ」

お文は小意地悪く応えた。おこなはお文の方をじっと見ている。利かん気な顔である。なるほど、猫という権兵衛名が肯けるように二つの眼は抜け目なく光っている。

「この節は娘なのか女房なのかわからないのが多いですね。丸髷でもないし……へい、姐さん、でき上がりました。いかが様で？」

六助はお文のはしょりを引いて言った。おこなは丸髷ではなく島田に結っていた。六助の言うように、おこなは、人の女房には見えなかった。お文が決まりの手間賃を払うと、六助は扁平な顔に笑いを貼りつかせておこなの傍をすり抜けて帰って行った。

「さて、出かけようかねえ。おみつ、仕度はいいかえ？」

お文はおこなのことは知らぬ顔でおみつに言った。

「お文、この娘、どうするんだ？」

伊三次が困ったような顔でお文とおこなを交互に見ている。

「喜久壽姐さんには、はっきり断っている。もう話は済んでいるんだ。帰って貰っておくれ」

お文はにべもない。おこなは悔しそうに唇を噛み締めていた。そんなおこなをじっと見ていたおみつが「猫さん、ちょっと待っていて下さいな。あたしはこれから姉さんをお茶屋さんに送って来ますから。すぐに戻って来ます。お話はそれからゆっくり聞きますよ。ああ、兄さんもそれまで留守番していて」と言った。

「おみつ、余計なことはしなくていいんだ」

お文はおみつを制した。

「姉さん、あたしに任せて。あたしが姉さんのお世話をできる人かどうかを吟味しますから」

おみつは張り切った声で言った。

「吟味ときたか。おみつ、お前ェは、もはや岡っ引きの女房だの」

伊三次は冗談めかしておみつに言った。

「あんた、嫁に行くの？　ご苦労なこって。嫁に行ったたって、ちっともいいことなんてありゃしないよ。よしな、よしな」

おこなは口を挟んだ。おみつの顔がきッとなった。

「あんた、雇って貰いたくないの？」

「そ、それは雇って貰いたいけどさ……」

「だったら余計なことは言わないで」

おみつはおこなに凄んだ。喜久壽の所のおしがより、おみつは役者が一枚うわ手だとお文は思った。おこなを新しい女中に据える気はさらさらなかったが、茶屋へ行く時間が迫っていたので、お文は仕方なくそのまま出かけた。お座敷でもおみつとおこながどんなやり取りをするのか気になっていたが。

おみつはお文を茶屋に送ると大急ぎで戻って来た。茶の間で伊三次と一緒に菓子を摘みながら茶を飲んでいたおこなを見ると顔色を変え「呑気にお客さんになっていないでよ」と悪態をついた。おこなはそれを聞いて笑顔を消した。

「忘れたの？　あたしが女中の吟味をすると言ったの」

おみつはきつい眼をしたまま訊いた。

「憶えてるけど……」

おこなは不服そうに口を尖らせたが、それ以上、おみつに何も言わなかった。伊三次は今しも摑み合いの喧嘩でも始まらないかと、はらはらして二人を見ていた。伊三次は、おこなにさほど悪い印象は抱かなかった。媚びたような眼をするのは水商売を何年もしていたせいで仕方がないと思うし、町家の女中になるには着物も頭に飾る簪《かんざし》も派手だが、それはおこなによく似合っている。おみつを待っている間、伊三次を退屈させまいと一生懸命に話をするおこなはいじらしくもあった。要するに、おこなは女から見れば辟易するものもあるが、男の側に立つと可愛気のある女ということになるのだ。女中より水商売の方が向いているだろうと伊三次も内心で思っていた。

「あんた、晩御飯まだでしょう？」

おみつは高飛車な態度を崩さなかった。

「ええ……」

「それじゃ、お米研《と》いで。それからおみおつけを拵《こしら》えて」

「は、はい」

おこなは慌てて持って来た風呂敷包みを解き、中から赤い襷《たすき》を取り出して袖を括《くく》り、紺の前垂れを締めて台所に向かった。

「そいじゃ、おみつ。おれは帰《け》ェるぜ」

伊三次はおみつに声を掛けた。おみつが戻って来るまで留守番をしていたので、もう用は済んだはずである。

「兄さん、これから用事がある？」

おみつは伊三次に訊いた。

「いや別に。おれもこれから茅場町に戻って湯屋に行ってから晩飯を喰うつもりだ」

「じゃあ、うちで食べてって下さいな。猫さんの晩御飯を味見して」

伊三次は僅かに躊躇した。お文のいない時に若い娘を前にして飯を喰うというのが、どうも気詰まりだった。おみつは伊三次の気持ちは察した様子で「あの人が女中さんになるとすれば、兄さんだってまんざら知らぬ顔はできないでしょう？」と言った。

台所のおこなは振り返ってくすりと笑った。

「やっぱりねえ。そうじゃないかと思っていたんだ。兄さんは文吉姐さんのいい、いろなんだ」

おこながそう言うと「いろだなんて下品なこと言わないで。さっさとお米、研ぎなさいよ」と、おみつは癇を立てた。伊三次は弱った顔で小鬢《こびん》をぽりぽり掻いた。どうやら晩飯を食べない内は帰れそうもなかった。仕方なくまた茶の間に腰を下ろした。

おこなは米櫃《こめびつ》から米を計って釜に入れた。

それを見ていたおみつは「あんた、何人前の御飯を炊くつもりなの？」と訊いた。

「一人一合でいいでしょう？　女所帯だもの。喜久壽姐さんの所もそうだったから」

「今晩は兄さんもいるのよ。姉さんがお座敷から帰って来て、お茶漬を食べたいと言ったら御飯がないじゃないの。もう一合足してよ」

ああそうか、という顔でおこなはもう一合の米を足し、それから外の井戸に向かった。

おみつは後ろをついて行く。茶の間に取り残された伊三次はどうしてよいかわからず、立ったり座ったりを繰り返した。外からおみつの威勢のいい声が聞こえる。

「ほら、もっとぐっと力を入れて。それじゃ糠《ぬか》臭い御飯になってしまう」

おこなは殊勝に肯いている様子である。おみつの指図はそれからも続いた。汁を拵えるだしの使い方や味噌の合せ方、お浸しにする青菜の茹で方、七厘を外に出して魚を焼く加減、糠味噌から香の物を取り出すやり方まで、こと細かく口を出した。弥八も大変な女房を貰うものだと伊三次は内心で苦笑していた。

ようやく晩飯の膳が調った時、伊三次は気疲れを覚えた。

箱膳の前に三人が座り、いざ食べる段になると、おこなも空腹でいたようで、いきなり箸を持った。

「ちょっと、いただきますぐらい言いなさいよ。ちゃんと掌《て》を合わせて」

すぐにおみつの叱責が飛ぶ。伊三次も箸を持とうとしていたので慌てて同じように掌を合わせ「いただきやす」と呟いた。

「どう、兄さん。お味の方は？」

おみつは伊三次の顔色を窺う。

「うめェ。これならおみつと同じだ」

「そう、よかった。猫さん、兄さんがおいしいって」

ようやくおみつから褒め言葉が出たので、おこなは安心したように笑顔を見せた。おみつは自分も汁の味を確かめてから「でも、猫さんって呼ぶの、やっぱり変ね。本当の名前は何んて言ったかしら。姉さんはおこまとか言っていたけど」と、おこなを見た。

おこなは一瞬、口ごもり、観念したように「おこな」と、ぶっきら棒に応えた。

「可愛い名前じゃないの。ねえ、兄さん」

「ああ」

「親父が粉屋をしていたのさ。蕎麦粉とか麦粉を売っていたんだよ」

おこなは渋々応えた。

「それでおこなさんなの。いいじゃないの。おこなさんのお父っつぁんは自分の商いが可愛いから、おこなさんにもそれに因《ちな》む名をつけたんだわ。嫌やがったんじゃ罰当たりよ。これからはおこなさんと呼びますからね」

おみつは有無を言わせぬ調子で言った。

「親父が手前ェの商売を可愛いって？　冗談じゃない。毎日酒ばかりかっ喰らってさ、粉を挽いていたのはおっ母さんだよ。そのおっ母さんにも気に入らないことがあると殴る蹴るでさ。おっ母さんを庇えば、あたいにも、とばっちりが来て地獄だったよ。親父はあたいが生まれた時だって酔っぱらって、名前を考えるのも面倒臭がったそうだ。それで粉屋の娘だからこなでいいと思ったらしい。大抵、ふざけた男だった」

おこなは吐き捨てるように言った。

「おっ母さんは達者でいるのか？」

伊三次が訊くと、おこなは一瞬言葉に詰まり、眼に涙を浮かべた。

「働き過ぎて死んじまったよう。おっ母さんが生きてりゃ、あたいは緑川の旦那に縋る前におっ母さんの所に行っていた。親父は、おっ母さんが死んじまうずっと前に酒毒でぽっくり逝っちまった。あんな親父、早くくたばっちまえばいいと思っていたから親父のことはいいんだ。だけどおっ母さんの時は……」

おこなは茶碗を持ったまま俯いて洟《はな》を啜った。

「おれは……親父の方がこたえたな」

伊三次はそんなおこなから視線を逸らし、閉じた障子を見つめながら遠い眼をして呟いた。

「あたしはまだ二人とも達者だけど、もしもの時は、あたしもお父っつぁんの方がこたえると思う」

おみつも独り言のように言った。

「おこなさん、あたしのお父っつぁんね、口が利けないの。口が利けないってことは耳が聞こえないってことよ。でも、一生懸命働く人だった。それでおっ母さんは一緒になったのよ。あたしは最初の子供だったから、お父っつぁん、あたしのこと大層心配して、あたしの耳が聞こえるかどうかを何度も確かめたそうよ」

おこなはおみつの話をじっと聞いていた。

「おこなさん、おっ母さんがいい人だったんだもの、それでいいじゃないの。どこの家の子供もどっちかの親に不満があるものよ。酒喰らいでもお父っつぁんがいなけりゃ、あんたも生まれて来なかったんだし……」

おみつはおこなを諭すように言った。

「おみつ、うめェことを言う。なるほどその通りだ。親父とお袋がいなきゃ、子は生まれねェ理屈だ」

伊三次は朗らかに笑った。

「おっ母さんが倒れた時ね、弥兵衛が面倒を見てくれたんだ。うちが姫だるまに幾らか品物を入れていた縁でね。だからあたいはおっ母さんが死んだ後は姫だるまを手伝って、見世が繁昌するように客に愛想を振り撒いた。前のお内儀さんが客と心中したから、弥兵衛の後妻になったんだ。弥兵衛は人が言うほど悪い奴じゃないよ。いい人さ。話も合う。だけど気を惹かれるとか、そんなんじゃないよ。ただいい人なだけだよ。親父のように手を上げたりしないし……」

姫だるまの事件は伊三次も朧気《おぼろげ》ながら憶えていた。弥兵衛が人足寄場送りになっていることも。

「お前ェ、弥兵衛が戻って来たら、奴の所に行くのか？　そろそろ寄場の年季も明ける頃だろう？」

「緑川の旦那は今年の秋と言っていたけど、もう秋だよね。この様子じゃ暮になるのかな。どうするかはわかんないよ。そりゃあ、あの人が来いって言えば行くだろうけど……」

「すんなり元通りの暮しができるんなら、それに越したことはねェけどよ」

伊三次はおこなの先のことを考えてそう言った。

「あたい、姫だるまでは一番の稼ぎ頭だったんだ。遠州屋は弥兵衛が戻って来るまで商売を肩代わりすることになったけど、見世は前よりあこぎな真似をするようになったんだ。客から法外な揚げ代を取ってさ。二朱が一分にもなったんだよ。客も当然、離れて行くわな。あたいは弥兵衛の女房だったのに、他の妓《おんな》と同じ扱いをされていた。あたいは堪《た》まらなくなって緑川の旦那に縋ったんだ。あたい、旦那が好きさ。あんな人に初めて会ったよ。旦那のためなら何んだってできると思う」

喜久壽がおこなを手離したがっていたのは、おこなの緑川に対する態度に問題がありそうな気がした。おこなが遠慮もなく緑川にしなだれ掛かっては、喜久壽もいい気持ちがしなかったのだろうと伊三次は思った。

「弥兵衛が戻って来ても、評判を落としているんじゃ、見世を立て直すのに時間が掛かりそうだ。あこぎな真似をしているんならその内、お上の手入れも考えられるしな」

伊三次は汁の椀を持ち上げて言った。汁の実は賽の目に切った豆腐だった。伊三次の好物である。

「あたいもそう思う。遠州屋がおとなしく姫だるまを返すかどうか……」

「弥兵衛がどう出るかが問題だ」

「うん」

「おこなさん、最初に言っておきますけど、兄さんに手出しはなしですよ。兄さんは姉さんのいい人なんだから」

おみつは突然そんなことを言った。汁を啜っていた伊三次は思わず噴いた。

「な、何を言うんだ、おみつ」

伊三次は呆れたようにおみつに言った。

「おみつさん、それは大丈夫。あたいは緑川の旦那にぞっこんだから、兄さんのことは心配ご無用ってところよ」

おこなは鼻の頭に小皺を拵えて悪戯っぽく笑った。

「明日は洗濯とお掃除を吟味します」

おみつはにこりともせず重々しく言った。

「へい、承知致しました、お局《つぼね》さま」

おこなは冗談混じりの声で応えた。

三

お文は渋々おこなを雇うことを承知した。

そうでもしなければおみつが佐賀町の実家に戻りそうもなかったからだ。おみつが実家に戻ったのは祝言の僅か十日前だった。

おみつは「姉さん、長い間、お世話になりました」と、お文にしっかりした挨拶をした。

お文は喉の奥に塊ができたように苦しく、ろくに返事もできなかった。おみつは蛤町の家を出る時、見送るお文とおこなに、わざと元気よく「じゃあね、姉さん。おこなさん、姉さんのこと頼んだわよ」と笑ったが、その後は一度も振り返らずに駆け出して行ってしまった。

「薄情だねえ。振り向いて手の一つも振ってくれりゃあいいのに……」

お文は洟を啜って恨むように言った。

「泣いた顔を見られたくなかったのさ」

おこなはお文を見上げて言った。おみつと違い、おこなは小さな女である。お文は利かん気なおこなの顔を見て「これからはお前ェと一緒だねえ」と、溜め息混じりの声で言った。

「姉さん。あたい一生懸命に働くから。頑張るよ」

おこなは張り切った声を上げた。

「無理するんじゃないよ。無理して死んだ人もいる」

お文はさり気なくいなした。

おこなは自分も水商売をしていただけあって、お文の衣裳には細かい所に眼がいった。簪の具合を直してくれたり、出過ぎた帯揚げをちょいと指で引っ込めたり、お文の唇からほんの僅か、はみ出た紅を化粧紙で拭ってくれたり。仕度ができ上がると「文吉姉さん、いっちきれい！」と、必ず声に出した。不思議にその声はお文にやる気を起こさせた。

案外、おこなにもよいところはあるとお文は思い始めていた。

お文にお座敷の声が掛かり、料理茶屋に出かける時、おこなは以前のおみつのように三味線を抱えて送ってくれた。しかし、茶屋までの道々、おこなが通り過ぎる男達に媚びたような視線を流すのには閉口した。

お文の前から歩いて来る男がにやけた笑みを浮かべているので、何んだろうと思っていると、お文の後ろにいるおこなが思わせ振りの表情をしているのだ。

「ちょいと。何をしているんだえ？　知ったお人かえ？」

お文が訊くと、おこなは「別に」と応える。

お文を送った帰りに通りすがりの男を誘うのではないかとはらはらする。

「いらぬ愛想をするんじゃないよ。男が勘違いするじゃないか」

お文はつい小言が口をついて出た。

「だから姉さん、あたいは何もしていないって」

おこなはそう言いながら、ちっとも態度を変えようとはしないのだ。だいたい腰つきがいやらしい。思わせ振りに振っている。それだけでも男達には堪まらないだろう。

案の定、声を掛けて来る男は何人もいた。

お文はその度に「この子はわっちの家の女中で、兄さん達が考えているような女じゃござんせんよ」と、甲高い声を上げなければならなかった。

心配のあまり、お座敷が終わるまで茶屋の内所《ないしょ》（経営者の居室）で待たせれば、主に猫撫で声で甘えている始末。大袈裟な笑い声も耳障りであった。

「うちは、れきとした料理茶屋なんだよ。妙なのを連れて来ないでおくれよ」

茶屋のお内儀に文句を言われて、お文は身の置きどころもなかった。それでも主の方は、まんざらでもない顔で「いいじゃないか。おこなちゃんはなかなかおもしろい子だよ」と言う。茶屋の主ばかりではない。おこなは退屈しのぎに板場にも顔を出し、そこで働く板前や追い回し（板前見習い）にも愛想を振り撒いている様子である。客に出す料理に真剣に腕を振るう板前達も男の端くれであるから、おこなの愛想に悪い気持ちはしない。「店が終わったら、一緒にどっか行くかい？」と、冗談でもなくおこなを誘う者もいたらしい。

お文の用事でもなければおこなは、そのままついて行く気持ちは充分である。お文のお座敷の掛かった日など、板前達の気もそぞろになるのは無理もない。どうしたらいいものか。お文は溜め息をつく毎日だった。このままおこなの態度が改まらなければ、何やら問題が起こりそうな気がした。おこなは軽い気持ちでいても、相手の男は本気でおこなが自分に気があると思ってしまう。お文も芸者として、そんな勘違いをする客を多く見ていた。おこなは隙があるというより、隙だらけである。おこなが買物に出ている時、お文はやって来た伊三次に愚痴を洩らすことが多くなった。

「全く、あの女は、しまりがないよ」

お文はあの女呼ばわりして吐き捨てた。

「仕方がねェ。前の商売が商売だから、男に愛想する癖が抜けねェのさ。わかってやりな」

伊三次はさり気なくお文をいなした。

「おこなを預かるのは短い間ということじゃねェか。辛抱しな」

伊三次にそう言われてはお文も黙るしかなかった。


だが、その内、茶屋の行き帰りに妙な男達が自分とおこなの周りをうろうろするのにお文は気がついた。どうもいつもと様子が違うと感じた。おこなも、にやけた笑みは消して、こわ張った表情をしていた。

「あいつ等は何んだえ?」

お文が訊いてもおこなは応えなかった。しかし、あまりにその男達が目につくので、しつこく問い詰めると姫だるまの若い者だとおこなは白状した。

だから訳ありの娘は嫌やだと言ったのに。

お文が胸の内で悪態をついても後の祭りである。姫だるまを逃げ出したおこなを引き戻す算段でもしているのだろう。おこなは見世では一番の稼ぎ頭と言っていたから、それは充分に考えられた。実入りの少なくなった見世におこなを連れ戻せば、見世は以前の活気を少しは取り戻すことができるはずだ。

お文は悩んだ末に門前仲町の岡っ引き、増蔵に相談した。伊三次では埒《らち》が明かなかった。

増蔵は蛤町の家を時々、見廻ると約束してくれた。しかし、男達は増蔵の姿がある内は、どこかに隠れていて、いなくなると家の周りに出没した。これと言った行動を起こさないのがお文にはむしろ気味が悪かった。

おこなを喜久壽の所に返そうかと思ったが、おこなは嫌やだと言う。仕方なく夜の外出は控えさせ、お座敷へは箱屋の六助に送って貰うことにした。留守の間も心配なので増蔵の子分の正吉《しょうきち》に毎日、一刻ほどいて貰うことにした。

ところが、お文のいない間におこなと正吉は何やらふとどきなことをしている様子が感じられた。おこなには全く節操というものがない。いっそ、姫だるまで稼がせた方が性に合うのではないかと思ったほどである。

伊三次は正吉とおこなについてはさすがに呆れ、正吉を呼び出して、こっぴどく叱ってくれた。しかし、どっちもどっちの二人では、大してこたえている様子もなかった。正吉も頭のねじが弛んでいるようなところがあったからだ。弥八とおみつの祝言が目の前に来ていた。こんな状態では家のことが気になり、せっかくの祝言も気がそぞろになる。お文はしなくてもいい心配事に胸を一杯にしていた。

緑川平八郎が蛤町のお文の家に伊三次とともに現れたのは弥八とおみつの祝言の前日のことだった。

緑川はおこなを前にしては、いつもの酷薄な表情が幾分和らいでいるようにも見える。お文はそれが不思議だった。それにおこなも緑川に対して恐れるとか怯むような様子はなかった。おこなは感情に鈍いところがあるのではないかとさえお文は思った。緑川はお文にとって不破よりもさらに苦手な人間だった。

「本日夕刻に行徳河岸《ぎょうとくがし》に弥兵衛が戻るとの沙汰があった」

緑川は務め向きのことを話す役人の顔になって慇懃《いんぎん》に口を開いた。おこなは一瞬、驚いた顔をしたが安心したように、にっこりと笑った。

「嬉しいか？」

緑川がからかうように訊いた。

「まあね」

おこなは照れを隠すようにあっさりと応えた。

「旦那、わっちは、お務め向きのことは、とんと存じませんが、急なことでござんすね。喜久壽姐さんからは二、三ヶ月、長ければ半年ほど預かってほしいと言われていましたもので、そのつもりでいたんですよ」

お文は割り切れない気持ちで言った。おこなを厄介者と思ってはいたが、いきなり出て行かれるのは困ることだった。身の周りのことをさせるには不満がなかったからだ。

「急と言えば急なことだが、昨日の夕方に沙汰があって、おれはその足でここにやって来たのだが、どうも留守のようだった。いや、灯りはついていたようだが……」

緑川がそう言うと、お文はちらりとおこなを睨んだ。

「留守にしていたのかえ？」

お文がお座敷に出た後は何をしているのかわからない。

「姉さん、あたい、ちゃんといたよ。正吉さんが来ていたから気がつかなかったのかも知れないけど……」

「おこな！　またお前ェ……」

お文が癇を立てた。伊三次も不愉快そうに眉をひそめた。

「いけねェなあ、おこな。お前ェは今、姫だるまの妓じゃなくて町家の女中なんだぜ」

「何もしていないよ。本当だったら」

おこなは必死で言い訳した。緑川は苦笑混じりにおこなの尻をぱんと張った。

「亭主が帰って来るんだぞ。いい加減にしないか」

「あん、旦那まで」

おこなは甘えた声を上げた。お文は苛々して「旦那、それでおこなを迎えに行かせるおつもりですか？」と訊いた。

「そのつもりだが……」

緑川は訝しい眼でお文を見た。お文は姫だるまの若い者がおこなの周りをうろうろしていることを告げた。緑川はくっと眉を持ち上げた。

「弥兵衛が戻って来る日をおこなの動きから探っているのかも知れねェな」

「うちの人、殺《や》られちまうのかい？」

おこなはようやく真顔になって訊いた。緑川はすぐに応えなかった。煙草盆を引き寄せ、腰の煙草入れを取り出して煙管に火を点けた。

お文はおこなに茶の用意を言いつけた。

「おこなを迎えに行かせるのは見合わせた方がいいと思いますが」

お文は煙管の煙を吐き出した緑川に言った。

緑川には相変わらず人を寄せつけない冷たいものが感じられた。喜久壽姐さんは、この人のどこがよかったのだろうとお文は思った。

あるいは、喜久壽と添えないことで緑川のそんな表情が生まれたものなのかとも思う。

「弥兵衛はおこなに惚れている。迎えに行かねェとなったら、今度は弥兵衛がおこなを捜すだろう。どうせなら、我々奉行所の役人が見ている前で二人を会わせた方が危険は少ない」

「あたい、迎えに行く。三年も会わなかったんだ。うちの人、さぞ心細い思いをしているよ」

おこなは緑川と伊三次に茶を出しながら言った。緑川は醒めた表情で灰落としに煙管の灰を落とした。

「遠州屋はやはり姫だるまを返すつもりはねェんだろうな」

緑川は虫歯をせせるような音を立てると訳知り顔で呟いた。

「ですが、幾ら遠州屋が業腹でも、奉行所の役人を前にして弥兵衛に手出しはしねェでしょう」

伊三次は緑川に言った。

「と思うがの。おこな、どうでも迎えに行くか？」

緑川は試すようにおこなに訊いた。

「行くよ。それで、しばらくは蛤町の姉さんの所に厄介になるから、落ち着いたら迎えに来てと言うつもりだ。姉さんだっておみつさんがいなくなったばかりで不自由だからさ。今日、うちの人が戻って来るからと言って、明日出て行きますなんざ、幾らあたいでも気が引けるよ。ねえ、姉さん」

おこなはお文に愛想をするように笑った。

「おやあ、わっちのことを少しは気に掛けてくれるのかえ？　そいつは畏れ入谷《いりや》の鬼子母神さまだよ」

「よし、それで決まりだ。だが、おれがおこなと一緒に河岸に向かったら遠州屋にわざわざ、それを教えるようなもんだ。文吉、ご苦労だがお前ェも河岸に行ってくれ。伊三次を伴につける」

緑川はお文にそう命じた。

「あい。それじゃ、わっちはおこなと伊三さんと三人で蕎麦でも食べに行くような振りで出かけますよ」

「蕎麦か。そいつはいいな。ついでだ、途中で蕎麦屋にでも入《へ》ェんな」

緑川はお文の機転の効いた言葉に満足そうに肯いた。

「あたい、蕎麦よりも鰻がいい」

おこなは呑気に言った。お文は、かッと頭に血が昇った。

「のぼせるんじゃないよ、いい加減におし。横面、張り飛ばされたいのかえ？」

お文の声音の激しさに緑川はつかの間、驚いたような眼をしたが、すぐに伊三次の方を向いて苦笑いした。気性のきつい女を相手にするのは骨だろうという顔だった。伊三次はそんな緑川からさり気なく視線を逸らした。

四

おこなはお文と伊三次につき添われて行徳河岸に向かった。緑川は一足早く、そちらに行った。伊三次は途中、怪しい者がつけていないかと、辺りに油断なく眼を配っていたが、幸い、それらしい者は見掛けなかった。

　行徳河岸は日本橋に近い小網町にある。普段は地方からの荷が届く所である。遠島になった者が舟で出て行くのは永代橋の橋際か、向井将監の御船手屋敷近くの霊巌島とされていた。人足寄場には、無宿者、あるいは入れ墨、敲《たたき》などの軽犯罪の科人《とがにん》で再犯の恐れのある者が収容される。行徳河岸は特に寄場送りになった者に使用される舟着場という訳でもなかったから、その時のお上の都合に合わせて選ばれたのだろう。

　人足寄場は火付盗賊改役、長谷川平蔵が時の老中松平定信に献策して寛政二年（一七九〇）に石川島と佃島の中洲に作業場と収容所を設置したのを嚆矢《こうし》とする。天明の飢饉の後、江戸には無宿者が徘徊して社会の混乱を招いたからだ。彼等は引き取り人もなければ定まった職もない者が多かった。収容所では様々な作業があり、送られた者の意向によって紙漉き、鍛冶、屋根葺き、大工、左官、元結、草履作り、縄細工、米搗き、百姓仕事などが与えられる。そうして三年ほど経て、改悛の情の著しい者が世間に戻されるのである。その時に寄場で稼いだ賃金が支払われる。言わば社会復帰のための場所であった。

　行徳河岸では他の役人も警護に出ていた。

　弥兵衛と一緒に戻って来る者の家族も何人か迎えに出ていた。

やがて小舟が河岸の舟着場に静かに入って来た。弥兵衛は目敏くおこなに気づいた様子で舟の上から片手を上げていた。恰幅のいい男である。おこなと並んだら親子とも見えよう。羽織もなく着流しにしただけの普段着だったが、月代《さかやき》と髭はきれいに剃られて小ざっぱりとしていた。

「嫌やだ、すっかり老けちまって……」

おこなはそんな感想を洩らしたが、弥兵衛を見る眼は輝いていた。やはり、おこなは早晩、弥兵衛の所に戻るのだろう。また女中を捜さなければならないと、お文は内心で思った。

舟が着くと、弥兵衛は風呂敷包みを一つ抱えて下りて来た。そのまま緑川の傍に行き、深々と頭を下げた。

「旦那、色々お世話になりやした。ただ今、戻りやした」

「うむ。ご苦労だったの」

緑川はねぎらいの言葉を掛けた。弥兵衛はすぐにおこなに両手を拡げた。

「猫や、お猫や」

おこなは弥兵衛にそうされると「ニャーン、ニャニャーン」と声色で腕の中に飛び込んだ。

「どうでェ、すけこましの年季の入っているところは……」

緑川は苦笑混じりにお文と伊三次に言った。

お文と伊三次は顔を見合わせた。弥兵衛のような仕種はすんなりできるものではない。伊三次は呆れるより感心していた。お文も何やら羨ましいような表情である。

「お前ェもニャンニャンやりてェのか?」

伊三次はからかうようにお文に訊いた。お文は低い声で「馬鹿」と応えた。

おこなは盛んに弥兵衛に話し掛けている。

離れていた間の話は積もるほどあるのだろう。そうしている二人は似合いにも見えた。

「弥兵衛、お前ェ、これからどうする?」

緑川は二人の話の腰を折って訊いた。一緒に戻って来た者も家族がいる者は家族と、独り者はそのまま役人につき添われて引き上げて行った。これから新しい塒《ねぐら》に向かうのだろう。

「あっしは見世に戻らせていただきやす。そういう約束でござんす」

弥兵衛はきっぱりと言った。濃い眉、がっちりした鼻、少し厚目の唇は意志の強さを感じさせる。今はともかく、若い頃は男前でもあったろうとお文は思った。

「しかし、今すぐでは遠州屋もうんとは言うまい」

「それはそうでしょうが、これから話し合いに行こうと考えておりやす。旦那にご一緒していただければ面倒は少ねェと思いやすが」

「うむ。それは心得た。おこなは今、そこの文吉という芸者の家で女中奉公している。お前ェが落ち着くまで、そっちでしばらく預かって貰うようにしてはどうかの」

緑川がそう言うと「重ね重ね、ご雑作をお掛け致しやす。そちらの姐さんにもお礼申し上げやす」と、弥兵衛はお文にも頭を下げた。

博打好きの遊び人と聞いていたので、お文は弥兵衛をもっと崩れた男かと想像していた。

丁寧に挨拶する弥兵衛は思いの外、感じのよい男だった。これならおこなを戻しても先のことは心配ないだろうとも思う。お文は慌てて弥兵衛に返礼した。

「そいじゃ、行くか?」

緑川に促されて弥兵衛はおこなの肩を抱いて前を歩き出した。緑川は河岸に控えていた役人に二言、三言、言葉を掛けてから待っている二人とともに弥兵衛の後からついて行った。弥兵衛は小さなおこなの肩に回した腕に力を込める。時々、頬擦りするような仕種もした。おこなはその度に大袈裟な悲鳴を上げた。

「おう、おれ達が後ろにいるってことを忘れるなよ」

緑川は苦笑混じりに前の二人に声を掛けた。

おこなは振り返って悪戯っぽく笑った。

一町も歩いたろうか。武家屋敷の続く通りを進んでいた時、途中の辻から突然、四人の男達が現れ、弥兵衛の行くてを阻《はば》んだ。

あっと思う間もなく、その中の一人が体当たりするように弥兵衛にぶつかって来た。その瞬間、伊三次はまるで時間が止まったような心地がした。弥兵衛はぶつかって来た男をじっと見据えていた。男は脅えたような眼をして震えていた。まだ若い男だった。緑川は帯の後ろに挟んでいた朱房の十手を取り出し、若い男の後頭部に一撃を加えた。

男はうッと呻いて倒れたが、弥兵衛も苦痛に顔を歪めて膝から崩れ落ちるようにその場に倒れた。弥兵衛の腹には匕首《あいくち》が突き刺さっていた。地面に赤黒い血が滴った。おこなは甲高い悲鳴を上げた。伊三次は頭から髷棒を引き抜くと止め金を外した。すぐさま、おこなを弥兵衛から離し、後ろのお文に預けた。

男達は匕首を持った半纏の袖を引き上げ、緑川に応戦する構えでいる。皆、着物の上にぞろりと長い半纏を羽織っているところは岡場所の妓夫《ぎゆう》という態である。

緑川はものも言わず、その内の二人の匕首をまたたく間に、弾き飛ばした。伊三次は残る一人の襟首を摑んで喉許に髷棒の切っ先を押し当て「おとなしくしろ。手前ェ等がどこの者か、とっくに察しはついているんだ」と凄んだ。そいつ等が遠州屋からの回し者であることは言われなくてもわかった。こちらの様子に気づいて、行徳河岸に残っていた役人と岡っ引きが駆けつけて来た。男達はすぐさま捕えられ、縄を打たれて連行された。

「医者だ」

緑川は荒い息をして誰にともなく言った。

すぐに土地の岡っ引きの子分が近くの医者の所に走った。

おこなはお文にしがみついたまま「あんたあ、あんたあ」と泣きながら声を掛けていたが、倒れた弥兵衛の傍には近づこうとしなかった。異常な事態に恐ろしくてその場から動けないという感じである。お文は盛んに「落ち着くんだよ」とおこなを宥《なだ》めていた。

やがて戸板が運ばれて来ると弥兵衛の大きな身体はそこにのせられた。医者の弟子達と岡っ引きの子分が急ぎ足で運んで行く。

「お前ェも行きな」

お文は震えているおこなに言った。おこなはようやく肯いて弥兵衛の後からついて行った。

弥兵衛の去った後には、寄場から持って来た風呂敷包みが転がっていた。伊三次がそれを取り上げると、手に堅い感触があった。

「何んか入っておりやすよ、旦那」

伊三次はまだ血走った眼をしている緑川に告げた。

「開けてみろ」

緑川に言われて風呂敷を解くと、中から洗った下帯が二枚と、赤い鼻緒の下駄が出て来た。

「この下駄、弥兵衛がおこなのために拵えたもんじゃねェですかい？」

伊三次の言葉にお文は思わず涙がこみ上げた。そのまま袖で顔を覆った。緑川は真新しい下駄をしばらく見つめていた。

「弥兵衛は大丈夫でしょうかねえ」

伊三次は不安な顔で緑川に訊いた。緑川は十手をゆっくりと帯の後ろに挿し込んで「匕首が柄の先までぶち込まれていたぜ。もしかして傷は背中にまで達しているやも知れぬ」と応えた。その表情にはやり切れなさが溢れている。自分がついていながら、こういう事態になったことを悔やむという顔だった。

「ですが、あの体格だ。どうにか持ち直すと思いやすが」

伊三次はおこなの気持ちを考えると希望的な言葉を吐いてみたくなる。

「あれも五十だからのう……」

緑川はさほど期待が持てない口ぶりであった。緑川はすぐに「その包みは後でおれが弥兵衛の所に届ける。その前に捕物だ。遠州屋をしょっ引く。奉行所に戻るぞ、伊三次」と言った。慌てて結び直した風呂敷包みを緑川はわし掴みして懐に入れると、羽織の裾をすぱっとめくった。

「お文、一人で深川に帰《け》ェれるか？」
伊三次は残されるお文を気遣って訊いた。
「あい」
「そいじゃ、行くぜ」
「伊三さん、祝言には出るんだろうね」
お文は翌日のおみつと弥八の祝言のことが気になって念を押した。伊三次はぎらりと
お文を見ると「こんな時につまらねェことを聞くな。そいつは成り行き次第だ」と吐き
捨てた。そのまま遅れまいと緑川の後から小走りに去って行った。お文は伊三次の姿が
見えなくなると、俯きがちに深川に踵《きびす》を返した。弥兵衛の腹から流れた血が地面に滲《し》み
て拡がっていた。お文は弥兵衛が助かるのか助からないのか予想もできなかった。ただ、
弥兵衛の拵えた赤い鼻緒の下駄のことが頭に残った。

五

秋の陽射しが眩しい。久々の日本晴れであった。佐賀町のおみつの家の前には近所の
人々が集まり、花嫁衣裳のおみつが姿を現すのを今か今かと待ち構えている。

お文も留袖姿の恰好でそんな人々の中にいた。傍にはおこなが寄り添っている。おこなはひと晩、弥兵衛の看病をすると朝早く蛤町に戻って来た。弥兵衛は予断を許さない状態が続いていた。おこなは医者に少し休むように言われたという。眠っていないおこなに疲れが見えた。それでも、どうでもおみつの姿が見たいと言ってついて来たのだ。

弥兵衛を刺したのはやはり遠州屋の手の者だった。

戻って来た弥兵衛に姫だるまを渡したくなくて、思い切った行動に出たのである。昨晩は捕物があり、遠州屋の主は捕えられたという。最初は知らぬ、存ぜぬと白《しら》を切っていた遠州屋だったが、緑川の執拗な吟味に、とうとう音《ね》を上げたらしい。

そういう話をお文はおこなから聞いた。緑川は御用が済んだ後に弥兵衛を見舞ってくれたそうだ。伊三次はお文の家に顔を出さなかったが、この様子では茅場町からまっすぐに京橋に向かうのだろう。

姫だるまは今、戸を閉《た》てているという。この先、どうなるかはお文に見当もつかない。おこなはどうなったって構やしない、ほしい人にくれてやる、と欲のないことを言っていた。

おみつの家は履物屋をしている。その日は店先に幕をめぐらし、提灯を下げ、さながら祭りのような賑やかさである。おみつの両親は紋付姿で集まった人々に盛んに頭を下げていた。二人とも嬉しそうだ。おみつの弟達は小ざっぱりした恰好で、こちらも行儀よく店の前に並んでいた。

やがて、町内の世話役が幕を引き上げると、仲人に手を引かれたおみつが姿を現した。雪のように白い衣裳が眼に眩しい。お文は、はっと胸をつかれるような気がした。綿帽子に隠れておみつの表情はわからない。まるでおみつではなく、どこか別の娘のようだった。

人々から自然に拍手が沸いた。お文とおこなもつられて掌を打った。

笑って見送ろうと思っていたのに、すでにいけない。お文の眼からとめどなく涙が溢れた。

「きれえ、とってもきれえ……」

おこなも感歎の声を上げる。通りに控えていた鳶《とび》職の連中の木遣節が流れた。さすがに深川という土地柄である。その声が秋の陽射しの中にしっとりと溶け込む。

「姉さん……」

おみつは二、三歩進んでお文に気づき、こちらを向いた。お文は言葉が出ない。肯くのが精一杯であった。

「胸を張って。猫背だとみっともないよ」

代わりにおこなが声を張り上げた。おみつは肯いて紅を刷いた口許をほころばせた。丈夫そうな歯が覗いた。それは紛れもなくおみつのものだった。

「姉さん、ありがと……皆さん、ありがとうございます」

おみつはそう言って頭を下げた。おみつ、おみっちゃん。友人、知人の声がかまびすしい。おみつはその一人一人に応えるように肯いて、静かに佐賀町の表通りを歩いて行く。

これから舟で京橋に向かうのである。お文とおこなはおみつの姿が見えなくなるまで見送った。

「姉さん、あたい、今まで勝手気儘にやって来て、それはそれでちっとも悔やんじゃいないけれど、一つだけ心残りがあるんだ」

おこなはしみじみした口調でお文に言った。

「何んだえ？」

お文は洟を啜っておこなに訊いた。

「あたいも、あの真っ白い衣裳でお嫁に行きたかったたって」

「……」

「その姿をおっ母さんや皆んなに見せてやりたかった。あたいだって、きっときれえだったと思うよ」

「そうだねえ。それはわっちもご同様さ。わっちも花嫁衣裳は着たことがないよ」

お文はおこなに相槌を打った。

「姉さんは兄さんと一緒になる時に着たらいいよ」

「よしとくれ。今更、どの面下げて……花嫁衣裳は若くてどんな色にも染まっていない娘が着るものさ。だから真っ白なんじゃないか」

「そうか、なるほどね。あたいじゃ無理か……」

気落ちしたおこながお文には不憫に思えた。

「ご亭《てい》の身体が元通りになったら、おねだりしてみな」

お文はそう言った。

「どうかな。うちの人、うんと言うかな」

おこなは半信半疑の表情をしている。

「さてと、これから祝言だ。忙しいねえ」

「姉さん、今晩の御飯の仕度はどうします？」

「お前ェ、今晩は泊まって行くのかえ？」

「うん、向こうにいてもさほど役には立たないし……」

「そいじゃ、ままだけ炊いといておくれ。お膳に出た料理を折に詰めて持って帰るから。そうそう、伊三さんも一緒かも知れないよ」

「じゃ、三合炊くよ」

おこなは張り切った声で応えた。二人はそれから蛤町に向かった。お文はひと休みしてから京橋に向かうつもりだった。

秋の深川は空気も甘い。町並の向こうに果てもない空が拡がっていた。その日の空は雲一つない。おみつと弥八の祝言にまことにふさわしい日である。空は心模様を映すものだとお文は時々思う。悲しければ悲しいように、嬉しいことがあれば嬉しいように見える。それが不思議だった。お文は眩しい陽射しに眼を細めながら、空を仰いで大きく息をついた。

自分と伊三次の未来にどんな空が待っているのかと、ふと思った。これからひと波乱も、ふた波乱もあろう。その予想は恐らく間違っていないと思う。難儀に思えるが潰れない覚悟だけはあった。

傍にいるおこなにも同じようなことが言える。この、擦《す》れっ枯《か》らしの女の未来はどのようなものか。答えは容易に得られるものではなかった。しかし、空はただ遠く、お文の眼の先に拡がっているばかり。

その日の夕刻、弥兵衛の命の灯《ひ》はひっそりと消えたのだった。

竹とんぼ、ひらりと飛べ

一

深川に向かう時、廻り髪結いの伊三次の気持ちは少しだけ弾むような気がする。それは何も、思いを掛ける女が住む町だからという理由ではない。大川を一つ挟んだだけなのに、そこには江戸とは違う独特の風情があった。人はそれを辰巳風《たつみふう》と呼ぶ。男も女も気《き》っ風《ぷ》がよく、本音を吐く。しかし、野暮には聞こえず、粋であり、いなせでもあるから不思議だった。

伊三次は深川に足を下ろした途端に肩の力が抜ける。元々は日本橋に近い檜物町《ひものちよう》の生まれだというのに。伊三次は深川という土地が心底、好きだった。

深川木場町の材木問屋「信濃屋《しなのや》」の主人は伊三次が廻り髪結いを始めた頃からの贔屓の客である。長年の髪の御用をしていれば、主人の五兵衛の人となり、夫婦仲のよしあし、店の景気などもおのずとわかってくる。信濃屋は、深川では中堅の商いをする店だった。

五兵衛は伊三次のことを、今では出入りの髪結いというより親戚の一人のようなつもりで気軽な口を利く。本来は決して耳に入れないようなことも、そっと打ち明けることがある。それは伊三次にとって時にありがたく、時に煩わしい。

いや、つき合いが深くなるにつれ、煩わしさの方が大きな比重を占めるようにもなっているだろう。しかし、伊三次はもちろん、そんなことはおくびにも洩らさず、如才なく五兵衛の話に相槌を打った。

信濃屋を訪れるのは三日置きぐらいである。

その他に五兵衛に特別の用があって髪をやる時は事前に知らせてくれた。無理は言わない。そういう気配りはさすがに丁稚《でっち》から叩き上げて店の主人に収まった男である。五兵衛は五十を幾つか過ぎている。

その日、北町奉行所定廻り同心、不破友之進の頭をやっつけた伊三次は、舟を頼んで深川入りした。堀が町中を縦横に巡っている深川は舟の方が都合がいい。特に木場という場所は。

問題は舟賃を入れても採算が合うかどうかだけである。答えは否。髪結い賃、一人三十二文では舟賃を出すと追い銭しなければならない羽目になる。それでも時間稼ぎのために信濃屋を訪れる時は舟を使った。帰りに蛤《はまぐり》町のお文《ぶん》の家に寄るためである。

お文は深川で文吉《ぶんきち》という名で芸者をしていた。三味線と踊りの稽古のある日を除いて、大抵、家にいた。あまり出歩くのを好まない女である。伊三次がお文と深間の仲になって、そろそろ四年が経つ。

もはや四年も経つのかと伊三次はしみじみ思うことがある。時の速さではなかった。四年も続いたのかという感慨である。二人の間にはこれまで様々なでき事があった。いつ別れても不思議ではない危うい関係である。

どだい、辰巳芸者と髪結いの組合せなど聞いたことも見たこともない。お文の月の稼ぎは伊三次の二倍にも三倍にもなろう。それを考えると気が滅入る。

しかし、お文は堅気の女房に収まりたいという夢があった。貧乏でも堅実な暮しがしたいのだ。大抵の芸者は旦那を持ち、その庇護のもとに金の心配をせずにお座敷勤めをしている。芸者と言っても客から貰う祝儀だけではやってゆけないからだ。

お文もかつては材木仲買人の男の世話になっていた。その期間はさほど長くはなかったが、お文は妾というものがどんなものか思い知ったようだ。所詮、日陰の身。世間に大きい顔のできない立場なのだ。

お文はそのことを自分の負い目にしていたらしい。

お文の旦那はかなり高齢であったので、寄る年波には勝てず、ひっそりと息を引き取った。その時、お文はまだ十九歳だった。

十九のお文はその年で芸妓屋に借金もなく、蛤町に旦那から買って貰った家もあった。

旦那が亡くなったことは一抹の寂しさを感じたが、同時にこれで晴れて独り身になれたという解放された気分にもなったという。これから先は誰に後ろ指をさされることもなく一本立ちの芸者として生きて行こうと決心したのだった。

もちろん、若いお文に言い寄る客は多かった。独り身の心細さに傾きたい夜もあった。しかし、そうなっては元の木阿弥である。

お文は気丈に自分を戒《いさ》めて来た。それが性根の据《す》わった今のお文を作ったのかも知れないと伊三次は思う。

二

昼前の信濃屋の材木置き場では屋号の入った半纏を羽織った奉公人が角材を運んだり、とてつもなく大きな鋸《のこ》を使って丸太を切っていたりと、相変わらず繁昌の様子を見せていた。材木を扱う男達の姿を見ると、伊三次はいつも何やら落ち着かない気持ちになった。

父親は大工であった。普請現場の足場から落ちて怪我をし、それが原因で亡くなっている。もしも父親が生きていたら自分も跡を継いで大工の修業をしていたと思う。今頃は一人前になって道具箱を担《かつ》ぎ、あちこちの普請現場に出入りしていただろう。父親の死から自分は畑違いの髪結いの徒弟になってしまった。

すれ違った人生のことを考えると伊三次の気持ちは今でもほろ苦く痛んだ。

信濃屋の裏口から訪《おとな》いを入れると、いつもは愛想よく出迎えてくれる女中達の姿がなかった。しかし、奥の方から何やら騒々しい物音が聞こえる。女の金切り声とともに瀬戸物の壊れるような音が何度か続いた。手代か番頭の諫《いさ》める声もする。

ははん、と伊三次は思い当たり、商売道具の入っている台箱を台所の座敷の隅に置いて自分も腰を下ろした。五兵衛は犬も喰わない夫婦喧嘩の真最中なのだ。五兵衛がよそに女を囲っているのは伊三次もそれとなく知っていた。多分、そのことで女房と揉めているのだろう。騒ぎが長引きそうなら女中に断って出直すことも考えたが、さて、その女中も一向に姿を現さなかった。

台所の煙抜きの窓から鰯雲を浮かべた空が見えた。木場を渡る風は秋と言うより、すでに冬の到来を予感させるように、ひんやりと乾いている。凍《こご》える手に息を吹き掛けて丁場《ちょうば》（得意先）を廻る季節が目の前に来ていると思った。

「あら伊三次さん。来ていたんですか。それなら声を掛けてくれたらいいのに」

古参の女中のおたみが若いおせきとともに、ようやく戻って来て伊三次の背中に言った。

「何度もお呼びしました。ですが、お取り込みのご様子で……」

伊三次は振り向いて苦笑混じりに応えた。

おたみは所帯を持っているので通いで信濃屋に奉公しているが、若いおせきは住み込みだった。

「今日は一段と派手だったものだから」

おたみは短い吐息をついて言った。

「い、レコですかい？」

伊三次は小指を立てておたみに訊いた。

「そうなの。お内儀さんの理屈のふるっていることと言ったら……いえね、店の主《あるじ》がよそに女を拵《こしら》えるのはよくあることだ。だけど、よりによって、あんな酷《ひど》いのを選ばなくてもいいじゃないか。これじゃ、あたしの顔がないと、こうなのさ」

「へ？」

「どうせ女を拵えるのなら美人にしろと言うことですよ」

「お内儀さんより美人だったら文句は言わねェってことですかい？」

「そうなのよ」

伊三次は五兵衛の女房の理屈がよくわからなかった。しかし、おたみは得心した顔で続けた。

「あたし、お内儀さんのおっしゃることはよくわかるような気がするのよ。もしも、うちの人がよそに女ができて、その相手が惚れ惚れする女だったら文句も言えない。ああ、うちの人はあたしの顔がまずいから他の女に気を引かれたんだってね」

「おたみさん、そいつはちょいと違いやすよ」

伊三次はさり気なく反論した。

「あら、どう違うの？」

「男が女をいいと思うのはお互げェの気持ちが通じた時ですよ。美人だと言ったところで三日も一緒にいれば、そんなこたァ……お面のよしあしじゃねェと思いやす」

「本当？　こりゃ大変だ」

おたみは途端に慌てた声になった。

「伊三次さん、うちの旦那様のいい人のこと知っているの？」

おせきが口を挟んだ。

「いえ、詳しいことは知りやせん。ちょいと道を歩いていたのを見掛けただけですよ」

「ねえ、どんな人？」

「どんな人って言われても……普通ですよ」

「普通って、どれくらい普通なの？　お内儀さんよりきれえなのか、そうじゃないのか」

おせきはぐっと首を伸ばして伊三次に詰め寄った。

「そりゃま、小間物屋のお人は、ちょいとそのう……ね？」

伊三次は曖昧におたみに相槌を求めた。まずいお面と口にするのは気が引けた。

「おせきちゃん、あんたがそんなこと知らなくてもいいのよ」

おたみは年の功でぴしゃりとおせきを制した。おせきは首を竦《すく》めた。

「お取り込みの方はまだまだ掛かるんでござんしょうかね。何んなら出直してめェりやすが」

伊三次がおたみにそう言うと「待って、旦那様に伺って来ますから」と、おたみは急いで台所から出て行った。

「ねえ、伊三次さん。女の髪はやらないの？」

おたみが出て行くと、おせきは上目遣いで伊三次に訊いた。まだ十八である。おたみが傍《そば》にいる時はおとなしくしているが、いなくなると途端にいらぬお喋りを始める。

「へい、結いやせん」

伊三次はにべもなく応えた。結うと言えば自分にもやってくれろと催促するに決まっている。女の髪結い賃は男より高いが、仕事をしている間の下らぬお喋りに閉口した。

結局、それで刻《とき》を喰うから一日の稼ぎの額は大した差にはならない。それなら丁場をくるくる廻って男の客を相手にした方がましだった。

「そう……あたし、髪結いさんにやって貰って、一度だって気に入ったことがないの。伊三次さんならうまく纏《まと》めてくれそうな気がするのだけど」

おせきは恨めしそうに言った。

「おせきさんの頭はよくお似合いですよ。紅のてがらもよく映って可愛いじゃござんせんか」

「またあ、お上手を言うんだから、憎らしい」

おせきは伊三次の二の腕をきゅっと抓《つね》った。

伊三次は大袈裟に呻《うめ》いて見せた。

「おせきちゃん！」

おたみが戻って来て、おせきに咎めるような声を上げた。

「全く、男と見るとすぐにこれだ。いい加減におしよ」

おせきは叱られて赤い舌をちょろりと出した。

「あんたが幾ら岡惚れしたところで、伊三次さんには決まった人がいるんですからね。相手は深川の文吉姐さんだ。文吉姐さんを見たことがあるかえ？」

おせきはううんと首を振った。

「そりゃあ、きれえな人さ。あの人を見た後じゃ、こっちは鏡を見るのがつくづく嫌やになるよ」

「おたみさん、そんなこたァ……」

お文の話が出ると伊三次は身の置き所がなくなる。

「それでおたみさん、旦那は？」

伊三次は話題を換えるように訊いた。

「ええ。今、いらっしゃいますよ」

「さいですか。ありがとうございやす。お手数を掛けやした」

伊三次はぺこりとおたみに頭を下げた。おせきは不満そうに横を向いた。

ほどなく信濃屋五兵衛がばたばたと足音を立ててやって来た。台所の座敷で髪をやるのが五兵衛の長年の習慣であった。

「待たせたねえ。勘弁しておくれよ。いやあ、今度ばかりはおとよの悋気《りんき》にもつくづく嫌気が差したというものだ」

五兵衛はそんなことを言いながら、まだ荒い息をさせて伊三次の前に背中を向けて座った。伊三次はその肩に花色手拭いを掛ける。

「あぁッ！」

伊三次は五兵衛の頬を見て驚いた声を上げた。三筋《みすじ》の引っ掻き傷が赤くついていた。

「引っ掻かれたんでござんすかい？」

「やられちまったよ。髭を当たるのはよしにしておくれ」

「さいですね。そっとしておいた方がいいでしょう。だけど旦那、まさか、このお顔でお出かけの予定はありませんでしょうね」

「それがさあ、あんた、あるんだよ。組合の寄合がね」

五兵衛は情けない声で応えた。

「よりによって人前に出る日を狙って癇癪を起こすんだからたちが悪いやね」

五兵衛はまだ肝が焼けている様子で続けた。

伊三次は五兵衛の髪を梳《す》きながら流しの傍にいるおたみを振り返って笑った。おたみも笑いを堪《こら》えながら塗りの椀を乾いた布巾できゅっきゅっと拭いている。おせきだけが興味津々で五兵衛をじっと見つめていた。

「何を見ているんだい？　そんなにあたしの不始末がおかしいのかい？」

おせきの視線に気づいた五兵衛が癇を立てた。五兵衛は客に対して愛想よく振る舞う男だが、奉公人には手厳しい面があった。

「いいえ……」

「お前は最近、行儀がなっちゃいないよ。人の噂話を聞く時だけは熱心で……そういう了簡だと、まともな所から嫁の貰いてはないよ」

「…………」

「おせきちゃん、お内儀さんの部屋を掃除しておいで」

おたみは見兼ねて助け船を出した。おせきはほっと安心したように台所から出て行った。

「全く……」

五兵衛は舌打ちをしたが、伊三次に髪を梳かせている内にようやく落ち着きを取り戻したようだ。

「わたしがこの世で極楽を覚えるのは湯に浸《つ》かっている時と、こうやって髪をやって貰っている時だよ。ああ、いい気持ちだ」

五兵衛は眼を瞑《つぶ》って、うっとりとした声になった。

「ありがとうございやす」

「髪結いと言っても様々なのがいるよ。この間、あんたの都合が悪いと言うから別の所に頼んだんだ。ちょいと遠出の仕事だったから、少々のことじゃ乱れないように堅く結ってくれと注文したんだ」

「さいですか」

「ところがどうだい。堅くはいいが、髪を引っ詰め過ぎちまって、わたしの眼までぎゅっと引っ張られ、まるでお狐さんのようになっちまったんだよ。先様には信濃屋さん、どうしたんですと訊かれるし、その内、頭が痛くなっちまってねえ。向こうで髪結いを頼んで貰って結い直させたんだよ。いや、酷い目に遭《あ》っちまったよ」

おたみが堪《た》まらず噴き出した。五兵衛はじろりとおたみを睨んだ。

「おたみ、そんなにわたしがおかしいのかい？」

「いえ……」

おたみは慌てて取り繕うと野菜の入った笊《ざる》を抱えて表に出て行った。傍にいたら五兵衛の小言が続くと思ったのだろう。

「全く、どいつもこいつも……」

五兵衛は舌打ちして呟いた。

「ねえ、旦那。小間物屋のお人のことはどうなさるんで？」

伊三次は人がいなくなったので、そんなことを訊いた。

「さあねえ」

五兵衛は他人事のように言う。

「こいつは余計なことですが、わたしも心配しているんですよ。信濃屋さんは旦那が一代で築いた店でござんすが、お内儀さんは三好《みよし》屋のご親戚だ。あまり邪険にされても三好屋さんの手前、まずいんじゃござんせんか？」

三好屋は木場では老舗の材木問屋である。かつて五兵衛はそこで番頭を勤めていた。

五兵衛が独立する時に三好屋の先代の姪に当たるおとよと所帯を持ったのだ。店を出す時には三好屋の後ろ楯があったことは隠しようがなかった。

「そこなんだよ、伊三次さん。どうしたらいいものかねえ」

五兵衛は溜め息混じりに本音を吐いた。

「お内儀さんと夫婦別れなんざ、滅相もございませんでしょう？」

「ああ」

「かと言って小間物屋のお人とも切れるつもりもないんでげしょう？」

「そりゃあね」

五兵衛は当たり前のように応える。

「だったら、もっとうまく立ち回らねェと……」

「それができないから苦労しているんじゃないか。お藤《ふじ》は小さい息子を抱えて店を切り守《も》りしているんだ。感心な女なんだよ。おとよが言うように美人でもない。だけどねえ、あいつの所に行くと気が休まるんだよ」

お藤というのが当の女の名前だった。亭主を亡くした後で小間物屋を開いていた。店の造作をした時に五兵衛と知り合ったらしい。

「何んと言うか、ほんわり真綿に包まれたような穏やかな気分になれるんだ」

五兵衛はしみじみとした口調で言った。

「旦那はこの世の極楽は湯に入ェっている時と髪をやらせている時だとおっしゃいましたが、もう一つあった訳ですね」

伊三次は五兵衛の髪に鬢付油《びんつけあぶら》を揉み込みながら言った。

「そうだけど人前でぬけぬけと言えるものか」

「さいですね。やあ、これはごちそう様です」

伊三次は荒櫛で五兵衛の髪をひとまとめにすると仮紐《かりひも》で結んだ。それから元結《もっとい》の端を口にくわえ、仮紐の際からぎゅっと結ぶ。仮紐を外し、髷棒《まげぼう》で髷の形を整えてから、仕上げに刷毛先《はけさき》を握り鋏で揃えて仕舞いである。髭を当たらなかったので、いつもより早い仕上がりになった。

「へい、お待たせ致しやした。いかがでござんしょう」

伊三次は手鏡を五兵衛の前に差し出した。

「ありがとうよ……だけどこの傷はやっぱり目立つねえ」

「なに、野良猫をからかって引っ掻かれたとおっしゃればいいんですよ。他人は手前ェが思うほど気にしていねェもんですよ」

「そうかい、そんなもんかい？」

「へい。大丈夫ですよ」

伊三次の慰めに五兵衛は幾らか機嫌を直したようだ。いつものように決まりの手間賃を払ってくれた。

伊三次が仕事を終えて信濃屋を出た時、堀に浮かべている丸太から樹木の芳香が強く匂った。木場の匂い、深川の匂いでもある。最初に蛤町のお文を訪れた時も海から吹く風に乗って、この匂いを嗅いだような気がする。

三

蛤町のお文の家の前で、ちょうど出かける様子のおこなにぶつかった。おこなはお文の家に新しく雇われた女中である。いつもは派手な恰好をしているが、その時は藤色の無地の着物に黒の帯を締めていた。

「お出かけかい？」

伊三次は気軽に言葉を掛けた。

「今日ね、兄さん。うちの人の四十九日なの。それで親戚の人が集まって法要があるのよ」

「そうかい……」

伊三次は少し低い声になった。おこなの亭主は茶屋の主だったが、店のごたごたから刃物沙汰になり、命を落としていた。

もう、四十九日かと伊三次は時の速さに驚いていた。おこなは亭主が死んだというのに、めそめそしたところは一つも見せず元気だった。

「いるかい？」

伊三次は家の方に顎をしゃくった。

「姉さん、二日酔い」

「……」

「昨夜、お座敷で嫌やなことがあったみたい。今夜は休みたいって。あたい、お茶屋さんに断りを入れに行くのよ。兄さん、よかったら泊まって行ってよ。あたい、今夜は向こうに泊まるかも知れないから」

「……」

「じゃあね」

おこなは伊三次に、にッと笑うと門前仲町の方へ向かって行った。

建仁寺《けんにんじ》垣《がき》で囲った塀の木戸口から庭に入り、伊三次は茶の間に声を掛けた。すぐに返事はなかった。「おい」と、もう一度声を掛けて障子を開けると手拭いで鉢巻きをしたお文がぼんやりした眼でこちらを向いた。

どんな美人も三日も一緒にいれば……自分の言葉を思い出して伊三次は苦笑した。

「何んだ、何んだ、その様《ざま》は……」

「大きなお世話だ」

お文は口だけは気丈に返した。

「らしくもねェぜ」

伊三次が火鉢の前に腰を下ろすと、お文は半纏の襟を肩先に引き上げながら吐息をついた。

「酒を飲むのも芸者の仕事の内さ。飲んだら酔うわな。身体の具合で二日酔いになることだってあるのさ。お前ェは下戸だからこの気持ちはわからないだろうね」

「ああ、わからねェ、わかりたくもねェ。ところで今、そこでおこなに会ったぜ」

「そうかえ？　元気がいいのはおこなだけさ。亭主が死んでもちっとも変わりゃしない。あの元気にゃ、あやかりたいよ」

お文はのろのろと茶の用意を始めながら「ままは喰ったのかえ？」と訊いた。

「いいや、まだだ」

昼の時分は過ぎていた。お文も昼飯を摂《と》った様子がなかった。

「茶漬け喰うかえ？」

「お前ェのその様子じゃ仕度が大儀だろう。どうでェ、外に蕎麦でも喰いに行くかい？」

伊三次は気を遣って誘う。

「この恰好でかえ？」

お文は気後れした顔になった。

「なに、料亭に行くと言ってるんじゃねェ。ちょいと蕎麦を喰うだけに恰好なんざいらねェよ」

「それでもさ、誰に会うか知れないし……わっちは遠慮するよ。お前ェ、一人で行って来な」

「愛想なしだなあ。そいじゃ、おれもやめるぜ」

伊三次はあっさりと言った。お文は自分のために昼飯を諦める様子の伊三次を気遣い
「腹ァ、減ってるんだろ？　やっぱり茶漬けの用意をするよ。わっちも朝から何も喰っちゃいないのさ」と言った。伊三次に茶を淹れるとお文は台所に立った。

「昨夜、何か嫌やなことでもあったのか？」

伊三次は台所のお文にさり気なく訊いた。

「どうしてさ」

「おこなが心配していたからよ。しこたま飲まなきゃならねェような理由があったのかと思ってよ」

お文は箱膳に茶碗を二つ、佃煮と香の物の丼をのせて運んで来た。お櫃《ひつ》から冷や飯をよそうと、急須に湯を足して冷や飯の上にドボドボと掛けた。伊三次が箸を取ると、お

文は指先についた飯粒をねぶって吐息をついた。

伊三次がさらさらと茶漬けを掻き込むのを見て食欲をそそられたのか、お文も自分の茶碗に飯をよそって茶を掛けた。二人が沢庵の古漬けをぽりぽりと嚙む音が重なった。

「この佃煮もうめェな」

浅蜊のむき身を佃煮にした物は茶漬けによく合った。

「ふん、おこなが買って来たんだ。あまり喰うと辛くなる」

伊三次は空《から》の茶碗を差し出してお代わりした。お文はお櫃の底をこそぐようにして伊三次の茶碗に飯をよそった。どうやらそれで冷や飯のけりがついたらしい。

「何かあるなら話してみな。聞いてやるぜ」

「お前ェに言ったって始まらねェ。いいんだよ」

伊三次は気のない様子のお文に言った。

「おい」

伊三次は茶を飲み下すと箱膳を脇へ押しやり、お文の肩に手を掛けた。

「腹が一杯になれば、別のことに気が行くのかえ？　お天道様はまだ高いよ」

「そうじゃねェよ。今日のお前ェは、おこなが言っていたように変だぜ」

伊三次はお文の顔をまじまじと見つめた。

ふっと笑ったお文は伊三次の首に両手を回した。

「お天道様なんざ、わっち等に関係がないねえ……」

お文の眼に媚が含まれた。そういうつもりはなかったが伊三次はそのままお文を押し倒していた。

いつものことだった。いつもの狎れ合い、騙し合いである。その肌の感触も温もりも伊三次にとって、今では自分のもののように親しみと安心がある。けれど、その日のお文はやはりどこか違っていた。

夜は門前仲町の鰻屋で晩飯を摂り、おこなが帰って来る様子がないので、伊三次はそのまま蛤町に泊まった。翌朝はいつもより早く起きて八丁堀に行き、不破の頭に間に合えばいいだけである。二つ、三つ、丁場をやり過ごしたのは仕方がなかった。

どうせなら不破の所もやり過ごしてお文と朝寝を貪《むさぼ》りたいと内心で思ったが、そうもできない。伊三次は不破の頭を任せられる傍《かたわ》ら、小者（手先）も務めていたからだ。

もう五年、いや六年にもなる。伊三次の聞き込みから解決した事件も多い。このままで行くと、いずれ十手と鑑札を持たされる羽目になりそうな気がする。そうなったら面倒だという気持ちはある。しかし、今の伊三次は小者の仕事を退《の》く気持ちもなかった。すわ、事件となれば、髪結いの仕事などそっちのけで駆けつけてしまう癖が身体に滲《し》みついてしまっているからだ。

四

明六《あけむ》つ（午前六時頃）の鐘が鳴る頃に伊三次は身仕度を整えて蛤町のお文の家を出た。お文は床の中から「行っといで」と手を振った。それからまた、朝寝を決め込むつもりなのだ。並の女房なら、こんなことはしないだろうなと思いながら、伊三次は苦笑して永代橋へ足早に向かっていた。

同心の出仕は五つ（午前八時頃）と定められている。その前に毎朝、髭を当たり、髪を結うのである。「八丁堀銀杏《いちょう》」と呼ばれる独特の髪型である。着流しの着物に紋付巻き羽織、朱房の十手。同心の恰好は江戸の風俗でもあった。

「手前ェ、昨夜《ゆんべ》はどこにいた？」

髭を当たった後で髪を梳いている時に不破が訊いた。寝坊ぐせのある不破は朝に機嫌のよいことは滅多にない。その日も大層不機嫌だった。

「へい。ちょいとこのう、野暮用がございやしたもんで……」

「文吉の所にいたのか？」

「いえ、そんなこたァ……」

伊三次は取り繕う。

「昨夜、茅場町の塒《ねぐら》に戻った様子はなかったじゃねェか。弥八を呼びにやったんだぜ」

弥八は留蔵の養子で下っ引きをしていた。お文の家の女中をしていたおみつと祝言を挙げて、まだ間もない。

「申し訳ござんせん。それで何か事件でも？」

「あたぼうよ。日本橋の舟宿で心中騒ぎよ。女房を貰ったばかりの弥八に見せたくはなかったが仕方がねェ。案の定、あの野郎、反吐《へど》ばかり吐いて役にゃ立たなかった」

「……………」

伊三次は不破の話を聞きながら元結で髷の根元を締め上げた。

「岡場所の妓《おんな》と神田の呉服屋の手代だった。二人とも蘇芳《すおう》の樽を浴びたような様《ざま》でよ」

「そいじゃ二人とも命は助からなかったって訳ですかい？」

「ああ」

「……………」

「まあ、心中者は生きていても晒《さらし》と決まっているから、あの世まで道行きしたってことは本望だろうよ」

不破の口調に皮肉なものが含まれた。伊三次は髷棒を使って髷の形を調えた。

「舟宿の始末は手代が勤めていた店がすべてつけた」

不破は事務的な口調で続けた。

「え？　何も彼《か》もでございやすか？」

驚いた伊三次の手がつかの間、止まった。

「ああ。なかなかできた店だった。それどころか妓のいた見世にも何がしかの迷惑料を払うそうだ。見世の親父はむしろ恐縮していたってよ。美濃《みの》屋は大したものだってな」

「その呉服屋は美濃屋という屋号ですかい？」

「神田須田町の、ちょうど昌平橋の前にある店だ。主は三代目でまだ跡を継いで間もねェ若僧だが、こいつがどうしてどうして、しっかり者だった。まだ二十歳を二つ、三つ越えた年だというのによ」

「そんなに若けェんですか」

伊三次は半ば感心して不破の髷の刷毛先を揃えた。肩の手拭いを外して手鏡を差し出すと、不破はそれをちらりと眺めてから伊三次を振り返った。

「まあ、親の躾《しつけ》がよほど行き届いているんだろう。三代目というのは店を潰すのが通り相場だ。落とし噺《ばなし》にもあるだろう？」

不破はにやりと笑って伊三次に言う。

「旦那、三代目が店を潰すのが通り相場なら、江戸から老舗《しにせ》はなくなっちまいやすよ。中には初代の上様の頃から商売をしている店だってあるんですから」

「いかさまな」

不破はふんと鼻を鳴らした。すぐに真顔になって「美濃屋の話にゃ続きがあるんだぜ」と伊三次に畳み掛けた。

「心中だけじゃなくて、もっとでかい山でもあるんですかい？」

伊三次は毛受《けう》けを台箱に納めて訊いた。

「いいや、そうじゃねェ。心中の方は後始末にもう少し時間が掛かるが、それはそれで役所に届けを出せば一件落着だァな。それとは別に、その美濃屋の若僧がこっそりおれに人捜しを頼んで来たのよ」

「人捜し……」

伊三次は手拭いを畳んで怪訝な顔になった。

「若僧のてて親は三年前に死んでお袋だけは残されているが、このお袋も半年ほど前から床に就いている病人だ。医者はもう長くはあるまいと言ってるそうだ。お袋は美濃屋の家つき娘で、てて親は婿養子だった。若僧はてて親が死ぬと女房を貰って、店の先行きにゃ心配がねェ。女房はお袋の面倒を親身に見ているそうだ」

「そいじゃ、人捜しというのは？」

「今頃になってお袋が言うことにゃ、昔、娘を一人産んでいて、その娘の行方を捜して一言詫びを入れてェそうだ」

「……」

「そうは言っても雲を摑むような話でよ。二十年以上も前のことで、事情を知っている年寄りはほとんど死んじまって見当のつけようがねェのよ。なに、手前ェ達でも、あちこちに聞いて回ったそうだが、埒《らち》が明かねェ。たまたま、今度の手代の不始末から町方のおれ達にも話を持ち込んで来たのよ」

「旦那はそいつを引き受けたんですかい？」

「見つけた暁には、それ相当の礼をすると言うからの」

不破の魂胆が読めた。伊三次は苦笑した。

「旦那はいつもそうだ。頼まれりゃ、一も二もなく……少しはわたし等の身にもなって下せェよ」

伊三次は不服そうに口を返した。人捜しは結局、伊三次達小者の手に委《ゆだ》ねられるに決まっているのだ。

「しがねェ同心じゃ、何かと物入りでの。お前ェ達に渡す物にも、ちょいと色をつけてェじゃねェか。な、頼まれてくれ」

「ですが……」

「頼んだぜ」

不破はそう言うと妻のいなみの名を声高に呼んだ。奉行所に出仕する時間が迫っていた。

伊三次はもう少し詳しい話を聞くつもりで京橋の湯屋「松の湯」を訪れることにした。

松の湯は留蔵が商う湯屋で、弥八も普段はそこの仕事を手伝っているのだ。

松の湯は暖簾《のれん》を出していたが、湯屋の方に留蔵と弥八の姿はなかった。横の狭い小路を入って釜場の方に行くと、弥八が肌脱ぎになって薪割りをしていた。弥八は額に玉の汗をかいていた。

「おう、若旦那。ご精が出るじゃねェか」

伊三次は気軽な言葉を掛けた。手を止めてこちらを見た弥八は「兄ィ」と低い声で応えたが、いつもの元気が感じられなかった。

「昨夜はおれがいなくて大変だったな。知らぬこととは言え、勘弁してくんな」

「そんなこたァ……」

弥八は鉞《まさかり》を放り出して、少し大きな薪を腰掛け代わりにして座った。伊三次もその横に同じように腰を下ろした。

「どうした？　やけに浮かねェ顔だの。おみっちゃんと喧嘩でもしたのか？」

「いや……」

「そいじゃ、どうした？」

伊三次はまじまじと弥八の顔を覗き込んだ。

つるりとした若い肌は、とても女房持ちとは思えない。無理もない。まだ十八である。十六の女房に十八の亭主では、まるでままごとのような夫婦である。祝言の時の二人は無邪気で可愛かったと伊三次は思い出す。

「おいら、昨夜の心中のことが、ずっと頭から離れなくて……」

「反吐を吐いたそうだな？　血の匂いと死人《しびと》の匂いを嗅いだら、誰でも胸が悪くならァ」

「それもあったが、それだけじゃねェ……」

「話してみな」

「兄ィは心中の現場を見たことがあるのか？」

弥八は切羽詰まったような顔で伊三次に訊いた。

「昔、一度だけある。旦那の御用をするようになって間もなくの頃よ。やっぱりおれも反吐を吐いて旦那にしこたま怒鳴られたものよ」

「心中って、皆、あんなに汚ねェもんか？」

「汚ねェ？　そりゃ首吊りすりゃ、人間の穴という穴から汚ねェ物が這いずり出るし、刃物沙汰の時は、そこら辺が血の海よ」

「そうじゃねェ！」

弥八は苛々して怒鳴った。伊三次は弥八が何を言いたいのかすぐにはわからなかった。

「おいら、男と女は切れねェもんだって思い知った。芝居で心中と言えば胸がキュンとなるけどよ、本当の心中ってェのは恐ろしいよ。この世で添えないから手に手を取って、あの世で結ばれようと事に及ぶんだろうが、この世に未練がねェのなら、何んであんなに……あんなに必死になって身体ァ、合わせなきゃならねェのよ」

「え？」

「昨夜、舟宿に行った時はよ、二人は匕首《あいくち》を使って刺し違えて果てたんだ。兄ィの言うように座敷は血の海よ。ところが血の海の中によ、あの後に使った紙が山のように散らかっていて足の踏み場もなかった……」

弥八は心中の現場の様子に衝撃を受けたようだ。心中の現場は、なぜか男女の交合の痕が生々しいことが多かった。文字通り、精も根も尽き果ててから彼等は事に及ぶのである。

伊三次も人が獣の種類であることを認めない訳にはいかなかった。若い弥八にはさぞかし目の毒であったろう。留守にしたことをつかの間、悔やんだが、いずれ弥八が十手を持たされることになるのなら、それもいい経験だと伊三次は思った。

「世の中にゃ様々なことがあらァな。いちいち気にしていたら身が持たねェぜ。弥八、忘れるんだ」

伊三次は弥八の肩を景気よく叩いてそう言った。

「美濃屋の人捜しのことは聞いてるな？」

伊三次は弥八の気を逸らすように訊いた。

「ああ。生きていれば二十五、六の娘だそうです」

弥八は低い声で応えた。

「旦那の話だけじゃ埒が明かねェ。もう少し詳しいことを聞かせてくんな」

「美濃屋の若旦那のお袋が昔、道ならぬ恋路に走って子を孕《はら》んだんですよ。くそッ、こいつも胸糞が悪くなる話だ」

「いいから」

伊三次は弥八を宥《なだ》めて話を急かした。

「お袋さんは美濃屋の家つき娘。男の兄弟がいねェもんで店を継がなきゃならなかった。だがお袋さんには好きな人がいて、そいつを親に反対されて、相手と駆け落ちをした。二人は、ほどなく見つかって連れ戻され、その時、お袋さんは腹に子ができていたそうです。もしも、生まれたのが男の子だったら美濃屋で育てたんだろうが、あいにく女の子だったもんで、その子はよそにくれてやった。お袋さんはそのことをずっと気にしていたんでさァ」

「ふうん。それで、その娘はどこにくれてやったんだ？」

「お袋さんの父親、つまり若旦那の祖父《じい》さんが、そっと手を回したそうで、内緒で進めたことだから今じゃ手掛かり一つ浮かんじゃこねェ」

「……………」

「だけど美濃屋は呉服屋だから、粋筋の客も結構多い。若旦那は芸妓屋にでも出したんじゃなかろうかと言ってるんですよ」

「その娘の名前ェは知れているのか？」

「若旦那のお袋さんはおふくとか言っていた。だけど、名前ェなんざ、育てた所で勝手につけるからあてにはならねェ……おいらは、ちょいと妙なことを考えたんだが……」

弥八は人差し指で鼻の下を擦った。何か気の利いたことを言う前の弥八のくせである。

「言ってみろ」

「おいら、姉さんじゃねェかと、ふと思ったんですがね」

「……………」

「でも、まさかね」

「どうしてそう思う？」

「いや、年頃が合うし、美濃屋の若旦那の顔は細面で、何んとなく姉さんと似ているようなところもあったから」

「さてそいつァ……おれは美濃屋の若旦那を見ていねェから何んとも言えねェな。お文のお袋は芸者だったたって聞いている。そんな、でけェ身代の生まれとは、ちょいと考えられねェな」

「兄ィ、この話、もう少し探りを入れますかい？　不破の旦那からは、やれと言われやしたが、おいらはどうも骨折り損になりそうな気がして、うっちゃらかして置くつもりでしたが……」

弥八も美濃屋の娘捜しには、あまり気乗りしていない様子だった。

「まあ、それとなくやってくれ。むきになってやるこたァねェ。どうせ旦那も美濃屋が出す褒美が目当てなんだし……」

「そうなんですかい？」

「決まっているだろうが。転んでも只じゃ起きねェお人だ」

「違げェねェ」

弥八はようやく笑顔を見せた。何かわかったら夜にでも茅場町の塒に知らせに来いと言い置いて、伊三次は松の湯を後にした。

五

京橋に来たついでに伊三次は炭町の梅床《うめどこ》に足を向けた。姉のお園とはしばらく顔を合わせていなかったからだ。

時々、伊三次の留守の間にお園が塒に来て、洗い張りして仕立て直した着物を置いてゆく。お園は子供が五人もいるのに伊三次の世話を今でもまめに焼いてくれるのだ。

心底、ありがたいと思っている。お園を喜ばせるために早く床を構え、所帯を持って安心させてやりたいのだが、お文のことは、なかなか言い出せなかった。芸者を女房にすると言えば、お園は反対するに決まっているのだ。

梅床では長男の友吉が髪結いの修業を始めたばかりである。十兵衛の手許の手伝いをしながら、入って来た伊三次に眼を留め「おいちゃん」と人なつっこい声を掛けた。伊三次は客の髪をやっている十兵衛にぺこりと頭を下げ「ご無沙汰致しておりやす」と挨拶した。十兵衛は元結の端を口にくわえたまま顎をしゃくった。十兵衛はさほど大きな男ではないが、がっしりとした体格をしている。もみあげを伸ばし、顎髭をたくわえたところは奴凧のようだ。ぎろりとした眼は、いつも人を胡散臭そうに見る。伊三次は甥っ子の方を見て「友吉、がんばっているじゃねェか」と叔父らしく言葉を掛けた。

「うん」

十四歳の友吉は無邪気な笑顔で応えた。顔が十兵衛ではなく、母親のお園に似ている。見ようによって伊三次に似ていると言われることもある。伊三次は姉の子供の内、この友吉に叔父としての愛情を特に感じた。姉の最初の子のせいかも知れない。他の四人は、いつの間にか生まれて、いつの間にか大きくなったような印象しかない。

「おっ母さんはいるのかい？」

伊三次は友吉にさり気なく訊いた。

「用足しに出てる。もうすぐ戻って来るから待っていなよ」

「そうかい……」

間口二間の梅床は店座敷の前が少し広い土間になっている。順番を待つ客のために長《なが》床几《しょうぎ》が置かれ、将棋盤や読本の用意もしていた。

十兵衛の横で一番弟子の利助《りすけ》が客の頭をやっていた。利助は伊三次と同い年で一緒に修業をして来た男である。おとなしい男で十兵衛に逆らったことはない。伊三次が梅床を飛び出した後も相変わらず、黙って店を手伝っている。同じ釜の飯を喰った仲間なのに、こうして伊三次が現れても格別懐かしそうではなかった。十兵衛から自分の悪口を色々と吹き込まれたせいもあろう。

梅床を飛び出した時は、二度と敷居を跨《また》ぐつもりはなかったが、時が経ち、お園の取りなしもあって、今では挨拶ができるほどに十兵衛との仲は回復している。

「伊三次！」

用足しから戻って来たお園が店の床几につくねんと座っていた伊三次に驚いた声を上げた。

「姉ちゃん、しばらく」

「しばらくじゃないわよ。お盆から顔を見せないで……茅場町に行っても留守のことが多くて心配していたんだよ」

「……」

「お前さん、油屋さんは明日、品物を届けますって」

お園は十兵衛に手短に用件を伝えた。髪結い職人の言う油屋とは行灯《あんどん》の灯りの油のことではなく、鬢付油を商う店のことである。専門の店が江戸に何軒かあって、髪結床からの注文を引き受けているのだ。

「何んで明日なんだよ。おれは今日と言ったはずだぜ」

「今日は配達の人が出払っていて、夜にならないと戻って来ないそうなのよ。その代わり、明日は一番で届けるそうだから……」

「ふん、用の足りねェ女だ」

「今日は何んとか間に合わせて。ね、後生だから」

十兵衛はそれ以上、返事をしなかった。お園は伊三次に目配せして奥の内所に促した。

「親方は相変わらずだな。姉ちゃんはよくも愛想が尽きねェもんだ」

「しッ、声が大きい。うちの人のことはもう、慣れっこよ。何んとも思わない。それに友吉がそろそろ仕事を覚えるようになったから、あたしは友吉を頼りにしているのよ」

「そりゃ、実の息子だからな。おれなんざ、まるで頼りにならねェ」

「あんたが頼りにならないって、いつ言った？　早く床を構えてくれたら、二番目か三番目を、あんたの所に弟子に出そうかと考えているのよ。あんたの腕は確かなんだし……」

お園は次男の梅吉か三男の清三《せいぞう》を伊三次に預けて修業させたいと思っているようだ。二人ともまだ十歳と八歳で今すぐという話ではなかったが。

「床を構えるのはいつになるか、わからねェよ。よそに当たってくれ」

「すぐ、そうなんだから」

お園を前にすると伊三次は拗《す》ねた物言いをすることが多かった。我儘が言えるのはお園だけである。ひと回りも年上の姉なので、姉というより母親を慕う気持ちに近いのだ。

「お団子、買って来たのよ。食べるでしょう？」

お園は伊三次の気を引くように言う。伊三次は「ああ」と気のない返事をした。

お園は紙包みを開けて、中から草団子を取り出すと皿にのせて差し出した。それから火鉢の鉄瓶の湯で茶を淹れた。

店に比べて内所は鼻がつかえそうなほど狭い。二階があり、そこに弟子や子供達が寝る。

夜は狭い内所が十兵衛とお園の寝所となるのだ。台所がまともに見えて、横に通用口がついている。店を閉めた後の出入りはそこを使っていた。

「あんた、好きな人がいるんですってね？」

お園は上目遣いに伊三次を見ながら言った。

その眼は死んだ母親とよく似ていた。いや、年を取るほどお園は母親と仕種や恰好が、そっくりになって来た。それは伊三次を嬉しいような物悲しいような気分にさせた。母親はさほどいい目を見ないで死んだ。お園も同じような運命を辿《たど》るのだろうかと、ふと心配になるからだ。

「誰に訊いた？」

「松の湯の留蔵さんよ。思わせぶりなことを言ったから、はっきり言ったらどうなのよって問い詰めたら渋々……」

「………」

「深川の芸者さんですってね？」

「姉ちゃん……」

訳を話そうとした伊三次の口をお園は封じるように続けた。

「あんたがどうしても一緒になりたいと言うのなら、あたしも反対はしない。でもね、いずれ、あんたが床を構えた時、その人、お店の手伝いができるの？」

「……………」

「聞けば家を持っていて、女中さんも置いている結構なご身分だそうじゃないか。そんな人が、あんたをまともに相手にすることが、そもそもあたしにはわからないのよ。何を考えているのか……」

「お文はいずれ、堅気の暮しがしてェのよ。芸者という商売が心《しん》から好きな訳じゃねェんだ」

「それは殊勝な心掛けだけど、口で言うのと実際にするのとは違うのよ。あたしはすぐに音《ね》を上げそうな気がする」

「姉ちゃんは悪い方にしか考えねェんだな」

伊三次は茶をぐびりと飲み下すと吐息混じりに言った。

「あたしは、どこか髪結床の娘さんとでも一緒になって貰いたいのよ。この間から伊三次を娘の連れ合いにどうだろうかと言われているし……そうなったら床を構えるのにも好都合じゃないの」

「おれは、人の力を借りてまで床を構えてェとは思わねェ。親方に啖呵を切った手前、意地でもそうしたくねェ。親方はあれで手前ェ一人の腕で床を構えた人だ。他は気にいらねェが、そこのところだけは感心している」

伊三次がそう言うとお園は諦めたように肯いて「わかったわ」と言った。その内にお文と会わせることを約束させられたのは仕方がなかった。しかし、お園に打ち明けたことで伊三次の気持ちは幾分、軽くなった。

「ところで、今日は何？　ただ寄っただけ？」

お園は茶を淹れ替えながら訊いた。

「松の湯にちょぃと顔を出したんだ。不破の旦那に頼まれた人捜しのことでよ」

「人捜し？」

「ああ。神田の須田町に美濃屋という呉服屋があるんだが、そこの母親が、昔々に産み落とした娘と死ぬ前にひと目逢いてェとほざいているのよ。手前ェの不始末でよそにくれてやった娘に詫びを入れて許して貰いてェと言うんだから虫のいい話だ」

「聞いたわ、その話」

お園は訳知り顔で言った。

「え？」

「美濃屋さんでは、娘さんを見つけてくれた人にお礼を出すと触れ回っているのよ。それが大層な評判になって、お礼目当ての人達が毎日、美濃屋さんに押し掛けているそうよ。ご主人も番頭さんも、その応対に追われて、商売どころではないんですって」

「………」

「もう何十人もそれらしい娘さんに会ったそうよ。お内儀さんは病気で床に就いているけれど、頭は存外にしっかりしていて、自分の娘なら必ずひと目でわかるはずだと言っているんですって」

「赤ん坊の頃に手離しても手前ェの娘なら、わかるってか？」

伊三次は不思議そうにお園に訊いた。

「きっと、そのお内儀さんには自分の娘だという確かな証《あかし》があるんだわ」

「確かな証って何よ」

「そうね、身体の特徴かしら。顔に痣《あざ》があるとか、目立つ黒子《ほくろ》があるとか、そんなところね」

「ふうん……」

「あんた、美濃屋さんに行って見たの？」

「いいや」

「お内儀さんに直接、話を聞いた方がいいわよ。このままじゃ埒が明かない」

「そ、そうだな。美濃屋に行って見るか……」

伊三次は独り言のように呟いて腰を上げた。

「深川の人のこと、いいわね？」

お園は伊三次に念を押すように言った。

六

伊三次が須田町の美濃屋を訪れたのは、手代の心中事件が起きてから七日ほど経った頃だった。すぐにも美濃屋を訪れたかったが、弔いや何かで店も忙しいだろうと考えたのだ。

昌平橋前の美濃屋は間口六間の堂々とした店構えをしていた。軒上《のきうえ》の金看板に「呉服商美濃屋」の文字がうやうやしい。藍染めの日除け幕から客が切れ目なく出入りして繁昌の様子を見せている。

店前を通り過ぎる人も、つかの間、立ち止まり美濃屋に視線を投げていた。それは心中事件もさることながら、例の娘捜しの噂が評判を呼んでいるためだろう。

伊三次が店の中に足を踏み入れると、手代、番頭が一斉に「お越しなさいませ」と声を掛けた。店座敷にいる奉公人だけでも相当な数である。外廻りの者や丁稚、女中を入れると、いったいどれほどになるのか見当もつかない。

伊三次は朝に不破の頭をやっつけてから美濃屋を訪れたので、商売道具の入っている台箱は持ったままだった。

店を入ってすぐ、土間の隅に並んでいる女達の列に気がついた。心当たりの者が、そうして毎日訪れているのだ。赤ん坊の頃に親にはぐれた娘は、この江戸にはごまんといた。

大抵が貧乏のために、よそに貰われて行ったり、捨てられたりした者達だ。女達の頭に丸髷が多いのは、すでに人の女房になっているからだろう。もしやもしやと、一縷《いちる》の望みで訪れる者もいれば、初めから企みでやって来る者もいるはずだ。

その区別をつけるだけでも大変なものだと伊三次は思った。

傍に来た若い手代に、伊三次は不破の名を出し、主人に話を聞きたいと申し出た。しかし、主人は心中した手代のことで奉行所の方に出かけているという。恐らく口書《くちがき》でも取らされているのだろう。奉公人の監督不行き届きということで、美濃屋も幾らかの、お叱りを被《こうむ》るようだ。

伊三次はお内儀と話をできないだろうかと言った。直接、お内儀の話を聞くことができるのなら、その方が早い。若い手代は少し躊躇した顔になって「少しお待ち下さいませ」と言い置いて、店座敷から出て行った。

伊三次は店座敷の縁に腰を下ろし、反物を巻いている番頭ふうの男に声を掛けた。

「毎日、こんなにやって来るんですかい？」

伊三次は女達の列に視線をくれて訊いた。

「そうなんでございますよ」

　中年の番頭は溜め息の混じった声で応えた。

「そのう……お礼をつけるとおっしゃったことが仇になったんじゃございませんか？　どうせなら、初めからお役人に頼んだ方がよかったような気がしますが」

「はい。うちの千代吉《ちよきち》の不始末で奉行所のお役人様と話をする機会ができましてから、実はわたしどもも、最初からお役人様にお任せすればよかったと後悔していたところでございます。何しろ、お役人様は人捜しに掛けては専門でいらっしゃる。まあ、後の祭りというものでございますよ」

　美濃屋では女達の応対に番頭一人が、あてがわれていた。その番頭が女達の話を聞いて、これはと思う者をお内儀に引き合わせるということだった。

「お次の方」と呼ぶ声が時々聞こえた。居並ぶ女達は、ふっと顔を上げて列の空いた分、一歩足を進める。お互いに話をすることはなかった。皆、さほどいい暮しをしているようには見えなかった。

　やがて奥に引っ込んでいた若い手代が戻って来た。

「お待たせ致しました。お内儀さんがお会いするそうです。どうぞ、こちらの方へ」

　伊三次は目の前の番頭に軽く会釈をすると履物を外して店座敷に上がった。それから、店と奥を仕切る暖簾の外に促された。伊三次は台箱が邪魔になったが、置いてもいけず、そのまま持って行った。

「お内儀さんとのお話は手短になさって下さいませ。何しろ病人でございますので」

若い手代は後ろをついて行く伊三次に釘を刺した。

「へい、承知致しやした」

坪庭の見える廊下を進んで行くと、途中で一段低くなった。そこから庭にも入れるようになっているが、先へ進む者の足許が汚れないようにすのこが敷いてあった。

離れの部屋が床に就いているお内儀のいる所らしい。そこは店の喧噪も届かず、静かな感じがした。

手代が襖の外から声を掛けると若い女の声で「お入り」と返答があった。手代に促されて伊三次は敷居際で手をついて頭を下げた。

「伊三次と申しやす。北の奉行所におられる不破様の御用を務めておりやす。この度のことで、ちょいとお話を伺いたく参じやした」

「ささ、そんな所にいては話もできない。中に入っておくれ。梅助、ご苦労様」

お内儀は床の上に起き上がり、嫁らしい女に半纏を着せて貰いながら低い声で言った。

梅助と呼ばれた手代は伊三次に頭を下げると店の方に戻って行った。

お内儀は顔色こそ悪いが、存外に品のよい女だった。年の頃、四十五、六だろうか。

白髪混じりの頭は寝ていたせいで、ほつれが目立った。

「おや、お前さん、髪結いさんかえ？」

お内儀は伊三次の台箱に目敏く気づいて驚いたような顔をした。八丁堀の役人の手下を務める者が髪結いの台箱を抱えていたのが意外でもあったのだろう。

「へい。常は廻りの髪結いをしておりやす」

「髪結いの親分さんかえ？」

「いえ、わたしは、ただ旦那の用事を助《す》けているだけで十手持ちじゃあござんせん」

伊三次は慌てて言い添えた。

「髪結いさん、ついでと言っちゃ何んだが、この頭、纏めておくれでないかえ？　それとも贔屓の客以外は駄目なのかねえ」

お内儀は少し気後れした顔になって頼んだ。

「いえ、そんなことは……わたしでよろしいんでしょうか」

「この中《じゅう》、ずっと横になっていて、ろくに髪結いも頼まなかった。この人が時々、櫛を入れてはくれるのだけど、根元がもう、ぐずぐずになっちまってねえ」

「承知致しやした。ちょいとこのう、髪の毛が落ちやすので、お座敷の方へ移っていただけやすか。へい、ありがとうございやす」

ここまで来て今更、女の髪は結いやせんとは伊三次も言わない。どうせ話を聞くなら仕事をしながらの方が気が楽だった。伊三次がお内儀の肩に手拭いを掛け、毛受けを持たせようとすると、嫁らしい女は、すばやく手を添えた。少し受け口だが眼に愛嬌がある。丸髷をしていなければ娘として立派に通るだろう。

「おっ姑《か》さん、あたしが持って差し上げますよ」

嫁は優しく言った。「すまないねえ」とお内儀も律儀に言う。伊三次は二人のやり取りを微笑ましい気持ちで眺め「お内儀さん、優しいお嫁さんでお倖せでございますね」と、愛想を言った。

「お蔭様で。あたしはいい息子と、いい嫁に恵まれましたよ。この子はお菊と申します」

お内儀がそう言うと、お菊はにっこり笑って伊三次に頭を下げた。

古い元結を鋏で切り落とし、伊三次はざっと髪を梳いてから丁寧にふけを掻いてやった。

お内儀はうっとりと眼を閉じている様子である。

「手離した娘さんを今頃になって捜すお気持ちになられたのは、やはり病気になってからでござんすかい？」

伊三次はさり気なく口を開いた。

「身体が丈夫な内は娘のことを思い出すのも年に何度もなかったんですよ。もちろん、忘れていた訳じゃない。でもねえ、こんなふうになると途端に気になって、どうしようもなくなった。どうしているのか素性も知らないまま死ぬのは何んとしても嫌やだと思ったんですよ。幸い、息子もこの人も、気の済むようにしたらいいと言ってくれたものだから」

「娘さんを手離した経緯を話していただけやせんか？」

伊三次はお内儀の肩越しに言った。お内儀は素直に肯いて低い声で語り始めた。

美濃屋の一人娘、おりうは男の兄弟がいないことから、養子を迎えて店を継がなければならなかった。おりうは、それが嫌やで嫌やでたまらなかった。というのは、毎日、店の前を通る青年にひそかに思いを寄せていたからだ。青年はれきとした旗本の三男坊であったが、まだその時は青年の素性をおりうは知らなかった。湯島の学問所へ通う時に美濃屋の前を通るのだった。青年はまた、町道場へ剣術の稽古に行く時も決まって美濃屋の前を通った。その風貌は爽やかで、おりうはたちまち青年の虜《とりこ》になった。

おりうは青年の通る時刻になると、二階からそっと、その姿を見るのが日課となった。その内に青年の方でも、おりうのことに気がつき、顔が合えば笑顔を向けるようになった。

そんな淡い恋も次第に熱を帯び、最初は水茶屋で茶を飲むだけで満足していたものが、一日も会わずにはいられなくなってしまった。

お互いの家の事情を語り合えば、いよいよ一緒になることが難しい。青年はいずれ養子に行かなければならない立場だが、町人になるなどは滅相もない。おりうにも美濃屋という重いかせがある。しかし、おりうと青年は離れ難く、ついに二人はお互いの家を飛び出し、本所で裏店住まいを始めてしまった。

もちろん、おりうの両親も、青年の家の方でも二人の行方を必死で捜した。

見つけ出されるまで、ふた月と掛からなかったろう。青年は家督を譲られた兄からきつい折檻を受け、屋敷内の座敷牢に収監されたという。それから間もなく縁談が起り、他の旗本の家へ養子に入ってしまったと風の便りに聞いたそうだ。おりうの方は家に連れ戻されてから身ごもっていることがわかった。おりうの両親は人目に触れることを恐れ、母屋の奥におりうを匿った。おりうはそこで、ひっそりと子供を産んだ。女の子だった。その子は父親が手を回して、すぐさま貰われて行った。

その後は美濃屋に丁稚から奉公していた番頭が、おりうの父親から因果を含められて、おりうの亭主に収まったのだ。それが今の主の父親になる。

よくある話だと伊三次は思った。これが素町人だったら、口を利いてくれる年寄りがいて、二人は一緒になれる可能性もあったろうが、大店の娘と旗本の伜では、どうにも札の切りようがない。組合せが悪かったのだと伊三次は内心で独りごちた。

「そいじゃ、手掛かりというものは何んにもないんでござんすかい？」

伊三次が元結を締めてから訊いた。

「ああ。お父っつぁんは、あたしに何も話さなかったし、産婆さんも口止めされたようで話しちゃくれなかった。二人ともとうの昔に死んじまったから今じゃどうしようもないのさ」

「何か身体の特徴がありやせんか？　黒子とか痣とか……」

「それもねえ……」

「ちょいと小耳に挟んだことなんですが、お内儀さんは、その娘さんに会ったら必ずわかるとおっしゃっているそうですが、そいつァ、何か確かな証でもあるんですかい？」

「そりゃあ、あの人との娘なら面差しに似たところがあるだろうし、あたしにだって……」

伊三次はおりうの表情、仕種にお文を重ねて見ようとしたが、声の低いところぐらいで、他は取り立てて共通するところが感じられなかった。

お文は女にしては背丈のある方で、それに比べて、おりうは小柄な女だった。

伊三次は鬢棒を使って鬢の形を整えると「へい、ざっと仕上げました。また、お休みになられるんですから、このぐらいで具合がよろしいかと思いやす」といって手鏡を差し出した。

「ありがとうよ。何んて手際がいいんだ。気分が少し晴れたようだよ」

おりうは振り向いて頭を下げた。

「幾らだえ？」

「へい。そいじゃ四十八文いただきやす。急に来て仕事までやらしていただいて申し訳ありやせん」

伊三次は恐縮して言った。お菊は障子を開け、庭で毛受けのふけを払い落とすと伊三次に返してよこした。それから帯に挟んだ紙入れから銭を取り出して伊三次に渡してくれた。

「ありがとうございやす」

「いいえ、こちらこそ、ありがとう存じました」

お菊はそう言って、ひと仕事終えた伊三次のために茶を淹れて差し出した。

「おっ姑さん、ほら、あのお話もしなければ……」

お菊はおりうを急かした。伊三次は茶をひと口啜って「何かございやすんで？」と訊いた。

「おっ姑さんは義姉《ねえ》さんと別れる時、水天宮のお守りと、三味線を一棹つけたそうですよ」

「……」

お守りはともかく、三味線というのが解せないと伊三次は思った。

「いえね、あたしは若い頃は三味線が得意だったんですよ。あたしの血を引いているなら、きっと三味線が好きなはずだと思いましてね。多分、そんなものは、すぐに養い親に売られちまったと思いますけどねえ……」

お守りと三味線だけでは、やはり埒が明かない。美濃屋の娘捜しは不破が考えているほど簡単なものではなかった。伊三次は茶を飲み終えると、また何かわかりましたら伺いやす、と言って座敷を後にした。

長い廊下を歩きながら溜め息が出た。先代が出入りしていた茶屋を一軒、一軒当たるしかないと思った。手間の掛かる仕事だった。

店の方に戻り、番頭に挨拶をして外に出ようとした時、待っている女達の列に伊三次はおこなの姿を認めた。美濃屋の話を聞いて野次馬根性の強いおこなも、やって来たのだろう。おこなの性格は知っていても、さすがに伊三次はむっと腹が立った。

「おこな！」

伊三次は少し険しい顔をしておこなに呼び掛けた。

「あら、兄さん」

おこなは平然と応えて笑顔を見せた。

「お前ェが美濃屋の娘な訳がねェだろう？」

伊三次は癇を立てた声になる。

「違うんだって、兄さん」

「何が違う。ちょっと来い！」

伊三次はおこなの手を取って外に連れ出した。

「あーあ、もう少しで出番が回って来たのに」

おこなは不服そうに口を尖《とが》らせた。相変わらず派手な柄の着物を着ている。それに化粧もいつもより濃い。

「けちな真似するんじゃねェ、みっともねェ」

「だから、兄さん。あたしのことじゃないって。姉さんが気にしている様子だから代わりに来てやったんだよ」

「お文が？」

「そうさ。深川でも美濃屋のことは大評判なのさ。嫌やでも耳に入って来るよ。ほら、姉さんも赤ん坊の頃、親に育てて貰えなかった口だろ？　もしやもしやと思っているのさ」

伊三次はおこなを送って行くつもりで深川の方向に足を向けていた。

「だけどお文のお袋は芸者だったんだぜ。美濃屋のお内儀のはずがねェ」

歩きながら伊三次はそう言った。

「さあ、どうだろうねえ。そんなことは誰にもわかんないと思うよ」

おこなは訳知り顔で応える。

「弥八もな、そんなことを言っていた。年頃がちょうどお文と合うからってよ」

「ねえ、兄さん。わくわくしない？　もしかして姉さん、美濃屋の娘だったなんて。そしたら兄さんは美濃屋の後ろ楯で床を構えたらいいんだよ」

「何言いやがる」

「あたいはこれまで通り、姉さんの身の周りの世話で、四方丸く収まるという寸法さ」

おこなは相変わらず物事を安易にしか考えない。伊三次は苦笑した。

「お文が美濃屋の娘だったら、おれはあいつと、いよいよ別れ話をしなけりゃならねェよ。今だって散々、釣り合わねェの、どうのと言われてるんだ。これで大店のお嬢様と来た日にゃ、とてもじゃねェが……」

「ふん、肝っ玉の小さいことを言うよ。それでよく、辰巳芸者の間夫《まぶ》をきどっているというものだ」

「………」

「兄さん、もっと自分に自信を持ちなよ。兄さんは、いっち男前だし、髪結いの腕は天下一品だ。誰に引けを取るような男じゃないよ」

おこなの言葉が伊三次の胸にぐっと来た。

「お前ェが吉原の女郎だったら、間違ェなくお職を張る女だ。男を持ち上げる技《わざ》に長《た》けているぜ。さて、汁粉奢ろうか？」

気分のよくなった伊三次はおこなに太っ腹に言った。

おこなはにっこりと笑い返した。

「兄さん、あたい、お汁粉より饅重がいい」

七

伊三次がおこなを送って深川に行っている頃、日本橋の呉服屋から火が出た。不破友之進は半鐘の音を聞きつけると、中間《ちゅうげん》の松助を伴って現場に向かった。火事場には岡っ引きの留蔵と弥八も出て来ていた。さほど風がないのが幸いだったが、呉服屋のある通《とおり》一丁目から西の稲荷新道《いなりしんみち》の辺りが丸焼けになった。ごみごみと古い建物が密集している地域なので消火にも手間取ったようだ。

ようやく火が消えると、不破は火元の呉服屋やら近所の人間から聞き込みをして火の出た原因をあれこれと探った。それから奉行所に戻り、上司の与力、片岡郁馬《かたおかいくま》に報告して、ようやく家路を辿ったのは四つ（午後十時頃）近くだった。もう一度火事場の前を通ったが、道端に運び出された荷物が山積みになって狭い通りを塞いでいた。不破が妙に引っ掛かったことは、火元の呉服屋「藤城屋《ふじしろ》」の店蔵の反物が、まるで火事を予想していたかのように、あらかたなくなっていたことである。

店の主も番頭も心当たりがないという。何者かが店蔵の品物を盗むついでに火を放ったとも考えられた。しかし、店を丸焼けにした藤城屋の主は、どうせ焼けてしまう運命だから、そんなことはどうでもいいと言っていた。

しばらくは今戸《いまど》の寮の方で暮し、落ち着いたら店の再建をするという。その元気のよさに不破は僅かに安堵していた。

不破は日本橋の通りを中橋広小路町まで歩き、そこから東に折れて越中殿橋を渡った。目の前は松平越中守の上屋敷である。堂々たる威容を誇っている。不破はつかの間、僅か七十坪足らずの自分の屋敷のことを思って苦笑した。三十俵二人扶持では日々の暮しにも事欠く始末である。不破の屋敷も幾らかを町人に貸して家賃を取っていた。大抵の同心も似たような暮しぶりである。

越中殿橋を渡ると、通りになる手前が空堀《からぼり》になっている。不破はその空堀の中に人の影らしいものを見た。眼は親譲りで滅法いいのだ。

「どうしました、旦那」

松助が怪訝な顔で訊いた。

「誰かいるぞ」

「野良猫じゃねェですか？」

松助はそう言いながら提灯の灯りをかざした。確かに人が倒れている様子である。不破が松助に顎をしゃくると、松助は提灯を不破に預けて堀の中に下りた。

「旦那、子供がいます。娘ですよ」

松助は下から怒鳴った。

「死んでいるのか？」

「いえ、まだ息がありやす。こいつは火事で逃げて、うっかり足でも踏み外したものでしょうかねえ」

「引き上げろ。怪我をしているやも知れぬ。そっとだぞ」

不破は提灯を傍らに置くと、松助に手を伸ばした。息子の龍之介と、さほど年の差がなさそうな娘である。着物は夜露に濡れている。

これが真冬であったなら、とっくに命がなかっただろう。わずかに息をしているというものの、抱き上げた娘の顔は蠟のような色をしていて、不破の腕に触れた手足も氷のように冷たかった。どれほどの時間、そうしていたものかと思った。

「旦那、番太の小屋に運びますかい？」

松助は堀から上がって来ると荒い息をして不破に訊いた。近くの木戸番に運んで手当をさせるつもりでいたようだ。不破は腕の中の娘をしみじみ眺めてから「いや、おれの所へ連れて行こう」と言った。

「お屋敷にですかい？」

松助は怪訝な声になった。

「番太に任せても、ろくな手当はできぬ。いなみがうまく介抱してくれるだろう」

「旦那、そいじゃ、あっしが背負って行きやしょう」

「なに、さほど目方もない娘だ。おれがこのまま運んで行く。松、さっさと提灯を持たねェか」

不破は甲走った声で命じた。松助は慌てて提灯を取り上げると、暗い通りを小走りになって前を急いだ。


その夜、いなみは不破が連れ帰った娘の世話をして、ひと晩、眠ることができなかった。

濡れた着物を着替えさせ、蒲団に入れてから近所の医者を呼びにやった。娘は風邪を引き込んだ様子で高い熱を出した。

医者がこっそりと、いなみに洩らしたことによれば娘の眼は不自由であるという。おまけに、全く見えないのではなく、光の加減で人の顔はうっすらとわかるらしい。

どうも口が利けないらしい。ただ、耳は聞こえている様子なので、口が利けないのは、あるいは何かの衝撃を受けて突然に訪れた兆候かも知れないと言った。

いなみは医者が帰ると、娘の額を冷やすために枕許に付き添った。不破は命に別状がないことを確かめると「後は頼む」と言い置いて寝間に下がった。その時に「やれやれ、この娘の親捜しをせねばならぬ。今月はどういう加減か人捜しばかりだの」と、ぼやいた。

「おやおや、まるで年寄りのようなおっしゃりよう……お役目は何も捕物ばかりとは限りませぬものを。人捜しも立派なお役目でございますよ」

いなみはふわりと笑って不破に言った。

蒲団に横になった不破から、ほどなく微かな鼾が聞こえた。横になると、すぐさま眠ることのできる羨ましい体質である。反対にいなみは何かあると眠られない。その夜も娘の寝顔を見ながら朝まで過ごした。眼も不自由で、何んの理由か道端に倒れてしまった娘が、いなみには、ただ不憫でたまらなかった。


翌朝、伊三次はいつものように不破の所を訪れて髭を当たり、髪を調えた。その時に隣りの部屋から細い啜り泣きの声と、いなみの宥《なだ》める声を聞いた。

「旦那、どなたかいらっしゃるんですかい？」

伊三次は低い声で不破に訊いた。

「なあに、昨夜、娘を拾って来たのよ」

「へ？」

「越中様のお屋敷の前で倒れていたんだ。そのまま気づかずにいたら死んでいたやも知れぬ。いなみが世話をしておるのだ。朝になって知らない所に寝かされていたから驚いているんだろう」

「さいで……」

「またもや、人捜しだぞ」

「……」

「十歳ぐらいの子供がいなくなった親はいねェか近所を当たってくれ」

「へい、承知致しやした」

不破はそれから藤城屋の火事のことも、かい摘んで伊三次に話した。店蔵の品物がなくなっていたことは伊三次も解せない気持ちがした。

「美濃屋の方はどうだ？」

不破は、ついでのように美濃屋の娘捜しの首尾を訊ねた。

「へい……どうも目星のついた女はまだ見つかっておりやせん」

「手掛かりも出て来ねェのか？」

「昨日、美濃屋のお内儀さんに聞いた話じゃ、娘を手離す時に水天宮のお守りと三味線を持たせたと言っておりやしたが、それだけではどうも……」

「そうか。美濃屋の方にやって来る連中の中にも、それらしいのはいねェんだな？」

「へい、今のところは」

「当の娘が自分を捜していることを知っていながら意地で名乗り出ねェということも考えられるな。捨てられた恨みでよ」

「旦那……」

伊三次は不破の頭を仕上げると、道具を片付けながら決心したように口を開いた。

「弥八の奴が、お文じゃなかろうかと妙なことを言っておりやしたが」

「なに？　文吉が？」

不破は色めき立った。

「へい。美濃屋の若旦那とお文の顔が似ていると言うんですよ。お文も美濃屋のことは気にしている様子ですが、出かけて行って確かめるまでは考えていねェようです」

「お前ェ、どう思う」

「さて、わたしは何んとも……」

「会わせちゃどうだ？」

「お文が何んと言うか……恐らく素直に、うんとは言わねェでしょう」

「実の母親に会いたくねェ娘がいるものか」

不破は解せない顔で伊三次を見た。

「旦那、お文は美濃屋の身代がでかいもんで、何か魂胆を持っていると思われるのが嫌なんですよ。わたしにはわかるんです、お文の気持ちが……」

「なあに、いいじゃねェか。今まで放っておかれた分、百両や二百両貰ったところで構やしねェ」

「………」

押し黙った伊三次に不破は舌打ちした。

「揃いも揃って欲のねェ。そいつはな、痩せ我慢というものよ。恰好つけるんじゃねェって文吉に言え！」

不破が思わず大声になった時、いなみが慌ててやって来た。

「静かになさって下さいまし。あの子が恐ろしがっております」

不破はそう言われて、さすがに黙った。

「奥様、お早うございます。いかがですか、娘さんのご様子は？」

伊三次は頭を下げてから、いなみに訊いた。

「ええ。熱も下がったようですし、少し落ち着きました」

「そりゃ、ようござんした。ところで、その娘さんの親御を捜さなければなりませんね」

「そうなんですが、名前もわからないので困っております」

「赤ん坊でもあるめェし、手前ェの名前ぐらい言えるんじゃござんせんか？」

伊三次は解せない気持ちで言った。この時、伊三次はまだ娘の身体のことを知らなかった。

「それが……口が利けないのですよ。とても恐ろしい目に遭ったらしくて。おまけに眼も見えないようなので」

「……」

「桂庵《けいあん》先生のお見立てですよ。可哀想に」

いなみは吐息をついて応えた。

「昨日の火事で焼け出された連中を当たれば、あるいは手掛かりが摑めるかも知れやせん」

伊三次はいなみの気を引くように言った。

「伊三次さん、さっそくそちらを当たって下さいますか？」

いなみは縋るような眼になっている。

「任せて下せェ」

伊三次はそそくさと後始末をすると出かける様子を見せた。

「伊三、文吉の方はどうする？」

不破は伊三次の背中に覆い被せた。

「こっちの娘さんの方を片付けるのが先ですよ。……へい、そいじゃ、ごめんなすって」

伊三次はまだ何か言いたそうな不破に構わず、さっさと履物を履いて屋敷の外に向かった。

八

伊三次が火事場を訪れると弥八が留蔵と一緒に焼けた家の残骸を大八車に積んでいるところだった。湯屋の燃料にするのだろう。

「手伝うぜ」

伊三次が言うと弥八は「着物が汚れるからいいってことよ」と応えた。

稲荷新道はすっかり丸焼けで、以前は狭い通りに陽もろくに射さなかったが、その時は、西にある呉服町まで見通しが利いた。なぜか稲荷のお堂と鳥居が無事だったのが不思議だった。

「親分、この辺りで十歳ぐらいの眼の見えねェ娘を知りやせんか？」

伊三次は一緒に材木を積んでいる留蔵に声を掛けた。町内は留蔵の縄張でもある。

「駕籠屋の茂作《もさく》の所の娘だろう。おさきと言った」

留蔵はあっさりと応えた。

「そいじゃ、その駕籠屋は今、どこにいるんです？」

伊三次は意気込んで訊ねた。

「何んかあったか？」

留蔵は手を止めて伊三次を見た。

「旦那がそれらしい娘をお屋敷の方で世話をしているんですよ。昨夜、越中様のお屋敷の前で倒れていたそうで、まだ口が利けねェんで名前もわからずに往生しておりやした」

「茂作の所も焼けちまったからなあ。様子を見に、ぼちぼちやって来る者もいるが、そういや、茂作の姿は見ていねェ」

「母親はさぞかし案じているはずだ。親分、ちょいと手を貸して下せェ」

「それはいいが……」

留蔵は溜め息をついた。弥八に比べて首一つも小さい男である。しかし、身体つきはがっしりしていて、科人をしょっ引《び》く時の力は強かった。土地の親分として鳴らしている男である。

「娘が五歳の時に、嬶《かか》ァは茂作に愛想を尽かして家を出て行ったのよ。それから嬶ァは別の連れ合いと所帯を持ったらしい。娘があの通りだから、嬶ァはずい分、心配して一緒に連れて行きたいようだったが茂作が承知しなかった。なあに、馬鹿な意地よ。娘を梃子《てこ》でも離さねェとなったら嬶ァが戻って来ると呑気に構えていたんだ。ろくに面倒も見ねェで……あの娘は、いつも稲荷の所でぼんやり座っていたわな」

「そいじゃ、そのおさきって娘は、火事が起きたんでお袋の所にでも行こうと思ったんでしょうかね」

「そんなところだろう。茂作の嬶ァは亀沢町に住んでいるということだった」

亀沢町は八丁堀にある町だった。

「そいじゃ、その駕籠屋の前のお内儀さんの名前ェは何んていうんで？」

「ふん。伊三、心配するねェ。こいつを片付けたら、おれが弥八と一緒に行って来てやらァ」

「いいんですかい？」

「ああ」

留蔵は炭のようになった材木を積んでいたせいで顔も真っ黒になっていた。にッと笑った歯が白く見えた。

伊三次の足は深川に向いていた。お文はどうしているかと思ったのだ。不破が言った通り、実の母親に会いたくない娘はいない。

お文は母親の話を伊三次にあまりしたことがなかった。顔も知らない母親ならば話しようもなかったからだろう。伊三次は反対に相手の耳に胼《たこ》ができるほど親の話をしていた。

やれ、悪さをして柱に縛られたことだの、縁日に一緒に行っただの、湯屋に行っただのと。お文はおもしろそうに聞いていたが、きっと内心では羨ましかったに違いない。

お文はたった一度だけ、母親らしい女に抱き上げられ、その胸の辺りから白粉の匂いを嗅いだと言ったことがある。「美艶仙女香《びえんせんにょこう》」という高級白粉の銘柄であった。お文はたった一度の埒もない思い出を胸に抱えていたのだ。ふと、美濃屋のお内儀にその白粉を使っていたのかと訊ねてみたい気にもなったが、伊三次はそのまま舟着場から舟に乗り込んでいた。

大川に吹く川風はすでに冷たかった。袷の胸を掻き合わせ、そろそろ綿入れ半纏が必要だと、伊三次はぼんやり思った。

水の面を見つめていると、初めてお文に出会った時のことを思い出した。濡れ鼠のお文だった。客と屋根舟で繰り出したお文は、途中で一緒に行った柳橋の芸者と喧嘩になり、大川に突き落とされたのだ。

舟宿に戻って来たお文の様《ざま》はなかった。とんでもないあばずれ女だと最初は思った。しかし、翌朝、髪を結ってやったお文は、自分の配慮の足りなさを悔いていた。伊三次はお文に慰めの言葉を掛けた。それはお文に気を惹かれた訳ではなく、髪結いが客に対して言うお愛想に過ぎないものだった。

お文は素直に肯いて、幾らか機嫌を直したようだった。髪を結い上げてから伊三次はお文を蛤町まで送った。舟宿のお内儀からそうしてくれと頼まれたのだ。

蛤町の家の前で伊三次は暇乞いをした。お文はちょいと寄って行けと言った。一杯、飲ませるからと言い添えた。

「姐さん、あいにくおれァ、下戸なんで」

伊三次は申し訳なさそうに言った。お文の眼が大きく見開かれ、ついで弾けるような笑い声を立てた。それから強く袖を引っ張られ、伊三次は無理やり家の中に入れられた。

伊三次は女中が買って来た豆大福を喰い、茶を飲んだ。お文は冷や酒を舐めながら伊三次をまじまじと見つめ「わっちはお前ェみてェな男は初めてだ」と言った。

「下戸がそれほど珍しいですかい？」

伊三次は苦笑混じりに訊いた。

「いいや、そうじゃねェ。お前ェは髪結いの分際で乙にすましている。相手が誰であろうと、びたつく様子もねェ。それがわっちには変わって見える。お前ェ、結構、世の中の修羅場をぐって来た口だろ？」

お文はずばりと伊三次の来し方《かた》を捉えていた。伊三次はゆっくりと湯呑の中身を飲み干すと「ご馳走になりやした。そいじゃ、これで」と腰を浮かした。

「わっちは訊いているんだよ。答えねェか」

お文の眼が据わっていた。

「姐さん、昼酒は妙に効くと聞きやした。いい加減にした方がいいですぜ」

伊三次はお文をいなした。お文は伊三次の前垂れの端をきつく握って「一つだけ、わっちの望みを叶えておくれでないかえ」と縋るような眼で言った。さっきまでの威勢のよさは消えていた。

「へい、何んでござんしょう？」

「ちょんの間……わっちをきつく抱き締めておくれ。きつく……」

「………」

不意のことに、もちろん伊三次は面喰らった。しかし、お文はそう言ってから袖で顔を覆って泣いていた。気まぐれで虚仮《こけ》にされているのだろうかとも思ったが、その時のお文が伊三次の眼にはただ哀れに見えた。見ず知らずの男に、つかの間抱き締めてと頼む女の気持ちは計りかねた。

だが伊三次はお文の言った通りにしてやった。その細い身体を胸に引き寄せ、何も言わず、じっと抱き締めてやった。お文は伊三次の胸の中でほろほろと泣いた。

あの時の伊三次の気持ちはひと言では言えない。何んとも不思議なものだった。そうしていただけで、お文という女を、もうずっと前から知っていたような気になったものだ。


「ありがとうよ。お蔭で気が済んだ」

やがてお文は低い声で言うと伊三次の胸を押した。反対に伊三次の胸には赤く火が点いていた。抑え難い気持ちで伊三次はお文の口を吸い、そのまま畳の上に押し倒した。お文は少し驚いた顔をしたが逆らわなかった。

それが二人のそもそもの始まりである。伊三次は二度目にお文に会う時の方が緊張を覚えた。この間のことは忘れてくれ、わっちはどうかしていたんだ……そんなことを言われたら立つ瀬がない。

三日ほど経ってから蛤町に立ち寄ると、お文は伊三次を見て、ふわりと笑い掛けた。その顔は自分を待っていたように思えた。しかし、お文は「待っていたよ」とも「会いたかったよ」とも言わず「ままは喰ったのかえ？」と訊いただけだ。

ずっと後になって、伊三次はお文にその時のことを訊ねたことがある。お文は笑って応えなかった。気を張って生きていたお文が、つかの間見せた心の弱みだったのかも知れない。自分がお文の弱みを受け止めるだけの器量のある男だったのかどうかはわからない。

ないが、二人の仲は今も続いている。

伊三次が留蔵と弥八と別れてから蛤町に顔を出した時、お文は湯屋から帰って来たばかりであった。洗い髪を背中に散らしていた。女中のおこなに火鉢の炭をかんかんに熾《おこ》させて、必死で髪を乾かしていた。

「また髪を洗ったのか」

伊三次は呆れたように言った。吉原の遊女でさえ、髪を洗うのは月に一度と決められている。洗い髪は髪結い泣かせでもあった。お文は月に三、四回も髪を洗う女だった。

「ちょうどいいところに来た。後生だ、纏めておくれ」

お文はほっとしたような顔で言った。

「もう少し、乾かしな。この部屋は真冬のように火鉢の景気がいい。汗になるぜ」

伊三次は障子を細めに開けて外の空気を入れた。

「兄さん、おいでなさいまし」

おこなが愛想よく声を掛けた。伊三次は顎をしゃくって、おこなに笑った。

「ところでよ。美濃屋のことなんだが」

「………」

「お前ェ、気にしているんだってな？」

伊三次が訊くと、おこなは息を詰めるようにお文をじっと見つめた。

「さあてね」

お文は、はぐらかす。

「美濃屋に行ってみたらどうでェ。弥八が、美濃屋の主がお前ェと似ているような話もしていたしよ」

「………」

お文は長い髪をうるさそうに背中に払って急須を引き寄せた。美濃屋に行くとも行かないとも言わない。白けた表情にも見えた。

「姉さん、あたい、ちょいと永代橋まで行って来ていい？　その方が兄さんとじっくり話ができるでしょう？」

おこなが口を挟んだ。伊三次が来たので気を利かせて言ったのだろう。だが、お文は「お前ェ、また買うのかえ？」と、呆れたように訊いた。

「何を買うんだ？」

伊三次は少し怪訝な顔になって、おこなにとも、お文にともつかずに言った。

「昨日から永代の橋際で反物の叩き売りをしているんだよ。それが結構いい品でさあ、わっちも二つ、三つ買ったのさ。おこなは五反も買った。女中をしていりゃ、そねェにべべはいらないものを」

お文は応える。衣桁《いこう》が置いてあるところに、その反物が無造作に置いてあった。

「何んでも潰れた呉服屋から仕入れたとかで、普段の半値よりまだ安かったのさ」

お文は、そう続けた。伊三次の胸にコツンと来るものがあった。長年の小者の勘である。潰れた呉服屋の噂は一つとして聞いていない。しかし、不破は藤城屋の店蔵の反物が相当数なくなっていたと言っていた。伊三次には、その反物を川向こうの深川で捌いているように思えてならなかった。

「反物を売っていたのはどんな奴よ？」

伊三次は、ぐいっと鋭い眼でお文に訊いた。

「何んだねえ、そねェに怖い顔で……呉服屋の手代や番頭には見えなかったよ。人足のように着物を尻からげしていたし……もしかして盗っ人の仕業になるのか？」

お文も、はっとした顔になった。お文は着物にかけては眼が巧者《こうじゃ》だ。値の安さに合点のいかない気持ちでもいたらしい。

「ちょいと気になる。お文、台箱、預かってくれ」

「わっちの髪はどうするんだよう」

「おこな、お久さんを連れて来てやんな。あ、それからお前ェは、その反物売りの所で待っていろ。おっつけ、後から行く。もしも、おれが行く前に店仕舞いするようだったら、そいつの塒をそれとなく聞いておいてくれ」

「あいよ」

おこなは元気のいい声を張り上げた。お久は、お文の髪をやる女髪結いである。お文は不満そうな顔をしたが、御用となれば、それ以上、文句は言わなかった。

「おれは増さんの所に顔を出してから、そっちに向かうからよ」

伊三次は、おこなにそう言うと、もう履物を履いて表に飛び出していた。

九

反物を売っていた人足風情の男は駕籠屋の茂作の所に使われていた者だった。茂作は自分の商売がさっぱり実入りがよくないので、思い切った行動に出たらしい。藤城屋は茂作の客でもあったが、柄の悪い茂作に藤城屋も愛想を尽かして、他の辻駕籠を頼むことが多くなっていた。その逆恨みもあったようだ。

その日、伊三次は門前仲町の岡っ引き、増蔵と一緒に永代橋の橋際で筵《むしろ》を敷いて商売をしていた男をしょっ引いた。その男を締め上げると、茂作の居所が割れた。近くの荒れ寺を根城にしていたらしい。茂作は自分の所の駕籠で藤城屋から盗んだ反物を深川に運んだのだ。この事件には藤城屋の手代も一枚、加わっていた。茂作とその配下の駕籠人足が三人、それに藤城屋の手代吾助《ごすけ》は三四《さんし》の番屋に連行されて、きつい詮議を受けることとなった。火付けをしたことで死罪は免れないだろう。事件は事件として、伊三次は後に残される茂作の娘の行く末が気になって仕方がなかった。

茂作の娘のおさきは十日も経つと、不破家での生活にようやく慣れたようだ。言葉はまだ明瞭ではなく、囁くような声しか出ない。

火事に遭ったことが、この少女には思わぬ衝撃となったのだ。それでも、いなみが親身に世話をしたお蔭で笑顔を見せるようになった。おさきは龍之介のすることに興味があるらしく、龍之介が手習いの稽古から戻って来ると、夕餉《ゆうげ》になるまで傍を離れなかった。

おさきの母親は茂作のことで奉行所に呼ばれていた。それが済んでから、おさきを迎えに来るという。

伊三次がいつものように不破の屋敷を訪れた時、龍之介は朝から竹とんぼに興じていた。

竹とんぼは下男の作蔵から造り方を教わったようだ。傍にはおさきがぴったり寄り添っていた。

「おさき、いいかい？　飛ばすよ」

龍之介はそう言って、軸を両手ですばやく回した。竹とんぼは、すっと宙に舞い上がった。竹とんぼの様子は見えるはずもないのだが、おさきは、それがわかるように嬉しそうだ。番屋で見た茂作と違って色白の娘である。それに優しい仕種が見る者を和ませる。

「あらあら、楓《かえで》の樹の方に飛んで行ったわ。坊ちゃん、早く取って来て」

出ない声を励まして、おさきは言った。

「見えるの？」

龍之介は無邪気に訊く。

「見えないけど、わかるのよ」

龍之介は植え込みに入って竹とんぼを拾って来た。

「坊ちゃん、もう一度飛ばして。今度は、もっと高くよ」

「じゃあ、おさきがやれよ」

「できるかしら」

「昨日、教えただろ？」

「あたし、下手っぴいだから……」

「いいから、やれよ」

龍之介に手を添えて貰って、おさきは軸を回した。勢いがないので竹とんぼは、一向に飛ばなかった。

「もっと強く、強くだよ、おさき」

龍之介は辛抱強く教える。伊三次は不破の後ろで、ふっと笑った。

「何がおかしい？」

不破は低い声で訊いた。

「坊ちゃんはよい性格をしていなさいやす。これが旦那だったら、癇癪を起こして目も当てられねェ」

「ふん、何言いやがる。早くやりな」

不破は伊三次を急かした。

「文吉は美濃屋のお内儀に会いに行ったのか？」

「いえ……深川でも美濃屋のことは評判になっておりやしたから、ちょいと妙な気分にはなったようですが……。旦那、お文が美濃屋の娘な訳がねェですよ。あすこのお内儀は柔けェ物言いをするお人で、お文とは正反対ですよ。とても親子とは思えませんよ」

「そうか……そいつァ、残念だの」

不破はそう言ったが、さほど残念そうでもなかった。藤城屋に限らず、その後も江戸では大小様々な事件が立て続けに起きていたので、不破も、忙しさにかまけている内に美濃屋に対する興味がすっかり失われたようにも見える。いい按配だと伊三次は内心で思っていたところである。

「ところでよ、おさきの母親が現れたら、ちょいと面倒なことになりそうな気がするぜ」

　不破は独り言のように呟いた。

「何かありやすんで？」

　伊三次は髷の刷毛先を揃えると、手鏡を差し出して訊いた。不破はそれを覗いてから「いなみのことよ」と言った。

「奥様が？」

「おさきがいなみを大層慕っているのよ。今まで親に放っておかれたもんだから、構われると嬉しいんだろうな。やけにいなみに甘える。いなみも、そうされると満更でもねェ顔で、湯屋にも一緒に行くし、買物も一緒だ。手前ェの着物をほどいて、おさきのために夜なべ仕事までしている。全く……」

「そうですかい……」

　いなみはおさきに、すっかり情が移ったらしい。不破が心配するように、母親がおさきを迎えに来たら、とんだ愁嘆場になりそうな気がした。

「奥様は優しくして下さるでしょうが、実の母親の所で暮すのがおさきちゃんにゃ倖せってもんなんでしょうね」

　伊三次の言葉に不破は吐息で応えた。悪戦苦闘していたおさきは、ついに竹とんぼを飛ばすことができた。

「あ、飛びやした！　おさきちゃん、よかったな。立派に飛んだじゃねェか」

伊三次はおさきの背中に声を張り上げた。振り向いたおさきは、はにかむような笑顔を見せて「ありがと、伊三次さん」と、存外に、はっきりした声で応えた。おさきは人の名を覚えるのが早かった。

「あれっ、声もね、少し治ったようだ。もう一度喋ってくんねェ」

「ありがと、伊三次さん」

おさきは褒められて、無理に声を張り上げた。

「ついでだ。旦那も呼んでやってくんな」

「ありがと……坊ちゃんのお父っつぁん」

不破は苦笑して鼻を鳴らした。

「おさき、塀の外に飛んで行ったじゃないか。全く……」

龍之介が初めて不服を洩らした。それは龍之介流のおさきに対する褒め言葉であったのだが、不破には通じなかったらしい。

「たかが竹とんぼ一つに何んだ！」

不破の大音声が響いた。龍之介は首を竦めて慌てて塀の外に走った。

「坊ちゃん、あった？」

おさきが心配して訊く。「あったよう」と、無邪気な返答があった。八丁堀の空は薄みずいろに霞んでいる。その淡い色はおさきと龍之介の色だと伊三次はふと思った。

十

美濃屋の娘捜しはそれらしい者が現れない内に意外な結末を迎えた。肝心のお内儀がひっそりと息を引き取ってしまったのだ。心ノ臓《しんのぞう》がどうにもいけなくなってしまったらしい。医者はそこまでおりうの身体がもったことを、むしろ奇跡のように思っていたようだ。

どうでも娘と会いたいという気持ちが、おりうを、それまで生かしたのだとも言える。お内儀の弔いとともに、娘捜し騒動も自然に終息した観があった。

弔いから少しして伊三次は美濃屋を訪れて悔やみを述べた。嫁のお菊の話では、伊三次が髪を結ったままでは元気で、その後は急速に具合が悪くなったという。

「もう、これで娘さんを捜すこともできなくなりやしたね？」

伊三次がそう言うとお菊はしゅんと洟を啜った。

「せめて一目だけでも会わせてやりたかった」

「さいですね」

伊三次は低い声で相槌を打った。

「でもね、髪結いさん。おっ姑さんの所に手紙が来たんですよ」

「手紙？」

「お店の番頭さんに、そっと言付けたそうで、誰かもわからない……でも、あたし、義姉さんのような気がしてならないの」

「何んて書いてあったんです？」

「お守りもお三味線も持っていますって……そんなこと、本人じゃなかったら、とても知らないことですよ」

「……」

「でも名乗り出るつもりはありませんって。とても倖せに暮しているので、おっ姑さんにはもう捜さないでほしいと頼んでありました。おっ姑さんは、それを聞いて寂しそうな顔をなさいましたけど、でも得心したみたいです」

「そうですかい……」

「気がかりがなくなったから、あっちに行ってしまったんですよう……」

お菊はそう言って噴き出すように涙をこぼした。伊三次はお菊の顔から視線を逸らし、自分も洟を啜っていた。

美濃屋の娘はこの江戸で確かに生きていたのだと思った。伊三次はお菊に頭を下げて美濃屋を出た。しかし、しばらく道を歩きながら、手紙を言付けた女がお文ではなかろうかという気がしきりにした。お文でなければ、そんな手紙を出す女がいるものかとも思った。

・

蛤町に着いたのは昼少し前だった。おこなは買物に行って留守だった。お文は今さっき起きたような顔をして、横座りした恰好で爪を切っていた。やって来た伊三次を見て、あでも、うでもなく鼻先で笑った。

「おれの顔がおかしいのか？」

「いや……最近はちょくちょく顔を見せるから……嬉しいのさ」

お文は取ってつけたように言う。伊三次はお文の前に座ると小鋏を取り上げてお文の爪を切ろうとした。

「あれ、いいよう、そんなこと……」

お文は慌てて足を引っ込めた。男にそんなことをさせるのは恥ずかしいと思っているのだ。

「遠慮するねェ。誰も見ちゃいねェよ」

「……」

伊三次はお文の桜色の爪に器用に小鋏を当てた。

「手紙なんざ、書いたりするのか？」

伊三次はお文の足に視線を落としたまま、さり気なく訊いた。

「何んの話だ？」

「いや、ただ手紙を書くこともあるのかって言ってるだけだ」

「……」

「とても倖せに暮しているから、このままそっとしておいてほしいって……そんな手紙をよ」

返事をしないお文に顔を向けると、その眼に膨れ上がるように涙が湧いていた。やはり、と伊三次は思った。

「せめて最後に顔を見せてやったらよかったんだ。手前ェは薄情な女だぜ」

美濃屋のおりうが死んだことで伊三次は自然に詰《なじ》る口調になった。

「会って……どうするんだよう。会ったって一緒に暮せる訳もねェ。その後が切ないだけさ」

「それでも……」

お文は洟を啜ると「昔、店の近くまで行って、ちょうど用足しから帰って来たおっ母さんの顔を見た……」と呟くように言った。

「声を掛けたのか？」

伊三次が訊くとお文は首を振った。

「いいや……じっと見ているわっちに不思議そうな顔をしていた。実の娘ならわかるって話は眉唾さ。あの人には、わっちがわからなかった。無理もない……産んですぐに手離した娘だもの。だが、恨んじゃいないよ。わっちもこの年になれば、おっ母さんの事情も少しはわかる、胸の内もさ。だから、いいんだ。これでいいんだ」

お文は自分に言い聞かせるように言った。

「お袋に貰った三味線があるのか？」

「あるよ。ほら、あすこにある古いのだ」

お文は壁に下げている三棹の三味線の方を伊三次に促した。

「水天宮のお守りも？」

「ああ」

「そうか……」

伊三次は天井を睨んで溜め息をついた。何んと言葉を掛けていいのかわからない。

伊三次はまたお文の足の爪を切り始めた。

「本当に手前ェは倖せなのか？　こんな甲斐性なしの男と一緒にいるだけでよ」

「倖せだよ……そう思わなきゃ、この世の中、生きてなんざ、ゆかれないよ」

伊三次はお文の言葉に苦笑した。

「でも、これでわっちは本当に誰もいなくなっちまった。会えない親でも、この江戸の空の下で生きていると思や、何やら心強かったもんだった」

「美濃屋の主は弟になるだろうが」

「さあてね、一緒に暮したこともない弟なんざ、情も何もあるもんじゃねェ。わっちとはもう、縁もゆかりもないお人さ」

「おれァ、てっきりお前ェの母親は芸者だって信じ込んでいたものよ」

「その方が、いっそ風通しがいいだろ？　子持ちの芸者はお座敷勤めがやり難い。だから、手離したって……」

「美濃屋のお内儀のことは誰から聞いた？」

「ふん、わっちを育ててくれた子供屋のおっ母さんさ。胸を患って死んじまったけれど、死ぬ間際にそっと話してくれたんだ。だけど、今更名乗り出ても先様の迷惑になるから、お文、お前はあてにしちゃいけないよってね。わっちはあいと応えた。わっちの母親は育ててくれたおっ母さんさ。その人の言うことを聞くのが筋《すじ》だ」

「………」

伊三次はお文の爪を切り終えると、下に敷いていた反故紙を畳んだ。

「姉ちゃんがお前ェに会いたがっているぜ。どうする？」

上目遣いに伊三次はお文に訊いた。お文の虚ろな眼が一瞬、輝いた。「本当かい？」と子供のように訊く。

「ああ。髪結いの女房になれる女かどうか吟味するんだってよ」

「……」

お文の不安そうな顔たるやなかった。伊三次は顎を上げて笑った。

「心配するねェ。姉ちゃんは、おれがどんな女を連れて行こうが、結局は黙って見ててくれる人よ」

「そう？」

「おれや子供達の心配ばかりして、手前ェのことは、いつも二の次だ。そんな姉ちゃんを見て歯がゆい思いをしていたから、お前ェのような天下御免の辰巳の姐さんに惚れちまったんだろうな」

伊三次は茶化すように言った。

「お前ェの姉さんなら、わっちも姉さんと呼んでいいんだね？」

お文は半纏の襟に手をやって無邪気に訊いた。

「ああ、当たり前ェじゃねェか」

伊三次は自然にお文の手を取った。少し冷たい。伊三次はお文の手の甲をさすった。

「嬉し……」

お文は微かに聞こえる声で言うと伊三次の胸に身体を預けて来た。もうすぐおこなが戻ってくる。お座敷の時間も迫っていた。そろそろ黄昏が忍び寄る部屋では、火鉢にのせた鉄瓶の湯音ばかりがやけに耳につく。

とりあえず、相惚れの男と女が寄り添っているのは幸福というものだろう。伊三次は四年前のことをふと思った。四年前もこうしてお文を抱き締めていたことを。

お文の目尻から今しも涙が溢れそうだった。母親に会わなかったことを、やはり悔いているのかも知れない。

伊三次は慌ててその涙を舌で舐め取った。

それでお文の気持ちが収まった訳でもなかったろうが、お文の喉の奥からこもった笑い声が聞こえた。

十一

京橋の橋沿いには竹屋が多い。長い青竹が何十本も店の前に立て掛けてある。それは京橋を訪れる者に新鮮な景色として映る。

竹屋が細工物をして残った材料で竹とんぼを拵《こしら》えるのが近所の子供達の楽しみでもあ

った。

伊三次がお文を伴って京橋に向かった時も、竹とんぼに興じる子供達の姿があった。その中にはお園の末っ子である松吉もいた。伊三次は不破の屋敷で見た龍之介とおさきのことを、ふっと思い出した。

松吉は伊三次を認めると人なつっこく傍に寄って来た。すぐに「銭おくれ」とねだる。伊三次は行儀の悪さに松吉の頭を軽く張った。

「銭、銭と言うんじゃねェ。ろくな者にならねェぜ」

お文が笑いながら帯の紙入れから鐚銭《びたせん》を摑んで松吉に渡した。松吉は一瞬、気後れした顔をしたが黙ってそれを受け取った。

「銭を貰ったら何んて言うんだ？」

伊三次は礼の言葉を急かした。

「あいがと、おばちゃん」

松吉は利かん気な顔で渋々応えた。

「おう、松吉。おいちゃんにも竹とんぼ、やらせろよ」

伊三次は松助の竹とんぼを見て言った。

「できるのか、おいちゃん」

松吉は小馬鹿にしたように訊いた。その表情は十兵衛によく似ていた。

「おきゃあがれ。おいちゃんにできねェことはねェんだよ」

「床《とこ》を構えるのができねェだけか？」

「こいつッ」

本気で腹が立った。十兵衛は五歳の息子にまで自分の悪口を言っているのかと思った。

「よしねェ。子供の言うことだ」

お文がさり気なくいなす。伊三次は竹とんぼの軸を勢いよく捌いた。キョオンと奇妙な音を立てて竹とんぼはすっと空に上がった。

「あ、ああ」

松吉は心配そうに、その行方を眼で追っている。

「行っちまったぜ」

伊三次は松吉に他人事のように言う。

「こんべらばあ！」

松吉は悪態をついて竹とんぼの後を追った。

子供達が飛ばす竹とんぼは次々と晩秋の空に舞う。それは本物の赤とんぼが飛ぶ子供の頃の景色をつかの間、伊三次に思い出させた。

「いいねえ、子供は……」

お文はしみじみした口調で言った。

「何も考えず竹とんぼを飛ばしていりゃ、ご機嫌なんだから」

「何が言いてェ？」

「いいや。大人は切ねェことが多過ぎるってことさ」

伊三次はお文を振り返った。

「さて、行くか。姉ちゃんが待っているぜ」

「本当にあの子供の言ったことは当たっているよ」

「はん？」

「床を構えるだけが駄目だって話さ」

「………」

「まあ、これぱかりはあせっても仕方がねェ。わっちはまだ稼げるから、お前ェはぼちぼちやりな。何も彼も手前ェの力でやると下手な啖呵を切っちまったんだから、意地を通すのも男だ。わっちはお前ェの気の済むまで待つよ」

伊三次はお文の手首をくっと摑むと「恩に着るぜ」と、わざと大きな声で言った。

「ほら、よしねェ。人が見ている」

お文は眉間に皺を寄せて困り顔した。

おさきは母親が迎えに来て不破の屋敷を出て行った。その後のいなみは腑抜けのようになった。気になったいなみが、おさきの所を訪ねれば、実の母親がいるにも構わず、おさきも「おばさん」とすり寄って来るという。

戻って来ると、いなみはおさき恋しさに袖で涙を拭っているらしい。

伊三次は風の滲みるようになった縁側で、いつものように頭をやりながら不破の愚痴を聞いていた。

「全く、困ったものだ」

不破は溜め息混じりに言った。

「こいつは旦那、ひとつ、娘さんを拵えて差し上げなければいけやせんよ。奥様はいつまでも塞いだまんまだ」

「娘を貰って来いというのか?」

不破は真顔で振り向いた。その頭をくいっと前に戻して「何をおっしゃるんですか。旦那も奥様もまだ若けェ。実の娘さんをもうけたらいいんですよ」と言った。

「おきゃあがれ」

不破は照れて、わざと不機嫌な声で言った。

「いなみは龍之介が生まれた時、難産でのう、もう子供はいらぬと言っていた。おれも無理をさせて命に関わっては困ると思っていたのよ」

「それでも奥様はこの頃、少し肥えたようですし、お風邪ひとつ引かないお人だ。もう一人ぐらい大丈夫だと思いますがね。やあ、そうなったら坊ちゃんが大層喜びますよ」

「まあ、それもそうだが……」

不破の口許からまた溜め息が洩れた。いなみがやって来て「そろそろお仕度を」と出仕を急かした。

「奥様、今日もよいお日和でございますね」

伊三次は手を動かしながら愛想を言う。

「さようでございますわね。でも、この頃はめっきり風が冷たくなりました。あなたもお身体には気をつけてお稼ぎなさいまし」

「へい、ありがとうございやす」

「あら……」

いなみは、ふと庭の中に眼をやって縁側から庭に下りた。そのまま植え込みの中に入って木片のような物を取り上げた。

「何んだ？」

不破は怪訝な顔になっていなみに訊いた。

「竹とんぼですよ。おさきと龍之介が遊んで、そのままにしておいたのでしょう」

いなみは掌の中の竹とんぼをしみじみと眺めている。また、おさきのことでも考えているのだろう。庭に放り出されていた竹とんぼは軸が半分折れていた。

「ほら、旦那」

伊三次は苛々して不破の肩を叩いた。

「いなみ、今日は早く戻るつもりゆえ、久々に外で飯でも喰うか？」

不破がそう言うと、いなみは驚いた顔をした。お珍しいこと、と低い声で応えた。

「そうです、そうです。行ってらっしゃいやし、奥様」

伊三次も景気をつける。いなみは行くとも行かないとも言わず、掌の竹とんぼの軸を回した。軸の折れた竹とんぼではひらりと飛ばない。すぐにいなみの足許に落ちて来た。いなみは竹とんぼの端を摘み、今度は手裏剣《しゅりけん》のように斜めに放った。ひゅっと空を切る音が聞こえ、竹とんぼは塀の外に飛んで行った。振り向いたいなみは掌を払うと大きく息をついた。

組屋敷の外からしじみ売りの声が聞こえている。一瞬吹いた秋風が、いなみの着物の裾を捲《めく》り、白い脛《はぎ》が露《あらわ》になった。不破はわざとらしく空咳をして、伊三次はそっと目線を避《よ》けた。

護《ご》持《じ》院《いん》ヶ原《わら》

一

霜月の江戸は木枯らしが路上の埃を舞い上げていた。秋津源之丞《あきつげんのじよう》は塒《ねぐら》にしている神田三河町の裏店から通りに出ると、その木枯らしをまともに顔へ受け、その時、眼の中に細かい塵が入った。二、三度、眼をしばたたき、ついで目脂《めやに》を取るように中指の腹で静かに眼を擦《こす》ってみたが、ごろごろした異物感は消えてくれなかった。

小さく舌打ちをして顔を上げ、前を向いた瞬間、すぐ近くの路地から男の顔が、すっと引っ込んだのがわかった。

顔を引っ込めたのは恐らく町方役人の手の者だ。自分が張られているのは二、三日前から気づいている。

奴らは蔵前の札差の件で自分に疑いを掛けているのだろうか。不安が、つかの間、源之丞の胸を掠《かす》めた。自分には、あの札差を殺す理由はない。店に借金もなければ、そこを訪れたことすらないのだ。借金があったのはお屋形様だが、自分はお屋形様の正規の家臣ではなく、御小姓組の岸和田鏡泉《きしわだきょうせん》の庇護を受ける小者《こもの》に過ぎないのだ。源之丞はそう思うと薄い唇を歪めるようにして、ふっと笑った。

殺しにはすべからく理由がいる。金目当てか、怨恨か、あるいはものの弾みか。源之丞とあの札差を繋ぐ一片の理由もない、と鏡泉は自信たっぷりに自分に言った。だから、殺しの下手人として問われることはないと。

いや、仮に札差殺しが公になったとしても鏡泉がきっと何んとかしてくれる。たとい、百万の敵があろうと鏡泉なら、あっという間に事態を収拾してくれる。その思いは揺るぎなかった。

岸和田鏡泉。その名前を聞くだけで源之丞はうっとりとした心地になる。鏡泉の傍《そば》にいるだけで、刻《とき》も忘れた。

源之丞が最初に鏡泉に出会ったのは、忘れもしない一年前の秋。神田橋御門外の護持《ごじ》院《いん》ヶ原《わら》であった。鎌倉河岸の一膳めし屋で、したたか酔った源之丞は、いざ支払いをする段になって金が足りないことに気づいた。めし屋の亭主から、懐が寂しいのに豪気に飲むとは、どういう了簡かと皮肉混じりの言葉を浴びせられた。翌日不足の分を届けると言ったのに、手前どもの店は掛けを致しておりません、とにべもなかった。心底腹が立った。思わず腰の刀を抜いて、その亭主の背中を袈裟《けさ》掛《が》けに斬った。さほど力を入れたつもりはなかったが、夥しい血がめし屋の土間に拡がった。客と店の小女の悲鳴が上がり、源之丞は「無礼討ちだ」と吐き捨てて、そのめし屋を飛び出した。酒の酔いと人を斬った興奮は源之丞の気持ちをしばらく昂《たかぶ》らせたままだった。

源之丞はふらふらと道を歩き、気がついた時は護持院ヶ原の中にいた。鬱蒼とした松の大木が、びょうびょうと葉擦れの音をさせていた。護持院ヶ原は松の大木が生い茂り、昼間でも恐ろしく寂しい場所である。夜ともなれば濃い闇に包まれ、追いはぎが出そうなほどに思える。源之丞も夜になってから護持院ヶ原を訪れたのは、それが初めてであった。自分の興奮を静めるためにはそういう場所がふさわしいような気がした。

しかし、提灯の仄灯りが遠くから見えた時、源之丞は恐怖を覚えた。自分を捕えに何者かが現れたという気持ちになった。殺《や》られる前に殺ってやる。源之丞は己れを奮《ふる》い立たせて灯りに向かって突進した。

ものも言わず、いきなり斬りつけた。野太い呻きが聞こえ、源之丞の前に人が倒れた。手を離れた提灯が幽霊芝居の焼酎火のように燃え上がり、倒れた者の姿を照らした。

自分を捕えに来た者どころか、肩に風呂敷包みを担いだ商人らしき男であった。商いで刻《とき》を喰い、道を急ぐために護持院ヶ原を通ったのだろう。源之丞は身体の力が抜けた。

しかし、もう、取り返しはつかない。幸い、周りには誰もいない。源之丞はそっと倒れた男の傍を離れた。

と、その時、源之丞の耳にこもった笑い声が聞こえた。うふふ、と男にしては女々しい笑い方である。

「誰だ？」

源之丞は闇の中に眼を凝らした。

「無駄な殺生をする。おぬし、それほど人が斬りたいか」

今度は深みのある声がこだまのように響いた。

「誰だ、名を名乗れ！」

源之丞は甲走った声で叫んだ。

「おぬし、人を斬る技に長《た》けているのう。その刀は何人の人の血を吸うたものか。泰平の世の中におぬしのような者がいるとは……」

言葉尻に吐息が混じった。およそ二間余り先に声の主がいた。その男は提灯に灯《ひ》を入れて前にかざしたからだ。時刻はそろそろ四つ（午後十時頃）にもなろうとしていたろうか。なのにその男は裃《かみしも》をつけた正装のままだった。それにしては、頭を無造作に後ろで一つに束ねているだけだ。

顔の周りで男の髪の後れ毛が逆立っているように見えた。鏡泉が巻き毛の体質であると知ったのはずっと後のことで、その時は妙な恰好の男だと思っただけである。人斬りを見られたからには生かしてはおけぬと源之丞は思った。源之丞は再び一刀を構えた。

「ほう、わしを斬るとな？　おもしろい。やって見よ」

男はふわりと笑って源之丞を見つめた。男の瞳がカンテラの面灯《つら》りのように光った。

源之丞は眩しさに、その眼を避《よ》けた。こやつは何者だろう。訝しさは次第に恐怖へと変わった。

その内、足許に倒れた男の黒い塊がうねうねと動き出し、太い蛇となって源之丞の足に絡みついた。

蛇は次第に源之丞の身体に這い上がり、ついには首をきつく締め始めた。源之丞は息もできず、ついに刀を離して呻いた。薄れる意識の中で、源之丞は男のこもった笑い声を聞いていた。


気がついた時、源之丞は護持院ヶ原の草むらに横たわっていた。朝の眩しい光が源之丞を照らしていた。起き上がり、源之丞は前夜のことを朧ろ気に思い出した。しかし、斬ったはずの商人の骸《むくろ》がない。もちろん、奇妙な男の影も形もなかった。これはどうしたことだろう。自分は夢を見ていたのかと思った。夢なら夢でよし、いや、昨夜の嫌やな思いが皆、夢ならば願ってもないこと。源之丞は朗らかに笑って護持院ヶ原を後にした。その日の源之丞の気掛かりは朝の申し送りに欠席した言い訳のことだけだった。

源之丞は神田須田町に道場を構える津田《つだ》三太夫《さんだゆう》の門弟であった。三太夫は大和郡山《やまとこおりやま》の人間で、もともとは大和郡山藩柳沢家に仕えていたという。その後、致仕して江戸に道場を開いたのだ。流儀名は鏡心明智流《きょうしんめいちりゅう》である。源之丞も大和郡山の出身で武芸を志して江戸へ出て来た。津田道場では目録を取って、そこそこ剣の腕を認められたというものの、部屋住みの身分では一膳めし屋の支払いにも窮している状態であった。めし屋の亭主や護持院ヶ原で出会った商人を斬る以前にも、何度か辻斬りをして、金を奪ったことがあった。

皮肉なことに、源之丞の剣の技は辻斬りで磨かれたのだった。

護持院ヶ原から道場に戻った源之丞は三太夫に呼ばれて、道場と棟続きに建てられている居室に向かった。三太夫は苦渋の表情で源之丞に破門を言い渡した。

「なにゆえでございましょうか。拙者には一向、覚えがないことでございます。理由をお聞かせ下され」

源之丞は師匠に平静を装った顔で訊いた。

「どこまで白《しら》を切る。貴様の胸によっく聞いて見よ。僅かな飲み代《しろ》のために腰の物を抜くとはふとどき千万。そのような者、わが道場に留め置くこと、まかりならぬ。お国許の兄上にもお知らせしなければならぬ。何んのための剣の修業だったのだ。わしは情けなくて言葉もない。即刻、立ち去れい！」

三太夫はそう吐き捨てると、もう源之丞の方を見向きもしなかった。昨夜のことは夢ではなかったのだと源之丞はぼんやりと思った。

部屋の外に出て、道場の玄関に向かった時、朋輩の早乙女《さおとめ》鹿之助《しかのすけ》が追い掛けて来た。鹿之助は一緒に辻斬りをした仲間でもあった。

「源之丞、まずいことになったな」

鹿之助は上目遣いで源之丞に口を開いた。

「今、破門を言い渡された。これでおさらばだ」

源之丞はあっさりと応えた。

「貴様、それでこの先、どうするつもりだ?」

鹿之助は心配そうな表情で訊いた。

「さてな。国許の兄者《あにじゃ》の所へ破門の知らせが届けば、家からも勘当されよう」

「………」

「どの道、おれは三男坊の冷や飯喰い。このまま雀の涙ほどのあてがい扶持でうじうじ暮すより、いっそ、さっぱりしたというものだ。なあに、江戸はその気になれば何んでもできる所だ。文句を言わなければ仕事の一つや二つはあるだろうて。また仮に仕事が思うようになかったとしても……」

源之丞はそこで不敵に笑った。そして自分の右腕を左手でぽんと叩いた。

「これがある」

「貴様、またやるつもりか?」

「貴様は道場の稽古着のままで事に及んだのがまずかったのだ。なぜに着替えをしなかった?」

「……」

源之丞はようやく自分の狼藉が三太夫に知れた理由に納得した。そうか、この恰好から足がついたのかと。津田道場の門弟は藍木綿の筒袖の上着を使用していた。めし屋の連中はそれを憶えていて、町方の者に告げたのだろう。

「あいにく、めぼしい着物は七《なな》つ屋《や》行きでござっての」

お上の取り調べが来ることを源之丞は恐れた。すぐさま身を隠さなければならないと思った。源之丞の気持ちを察して、鹿之助は「幸い、めし屋の亭主は死んでおらぬ。刀傷で済んだ。先生がうまく話をつけるようだ。まあ、それが先生の、せめてもの恩情であろう」と言った。

「さようか。それが恩情と申すものか」

源之丞はしかし、皮肉な言葉を鹿之助に返した。

「おぬしもおれの二の舞にならぬよう、事に及ぶ時はくれぐれも気をつけられよ」

源之丞はそう鹿之助に続けて道場を後にした。その夜、紙屋から出て来た年寄りを袈裟掛けに斬って金を奪い、神田三河町の裏店に住まいを見つけた。源之丞はそれから何度か辻斬りを働いては金を手にした。人を斬るなど源之丞には簡単なことだった。それで首尾よく金が手に入るのだから、これ以上楽な方法はなかったのだ。

二

小石川の本多甲斐守《ほんだかいのかみ》の下屋敷に着いた時、風は幾らか収まっていた。しかし、相変わらず眼の中の異物は入ったままだった。門番に鏡泉への取り次ぎを頼むと、ほどなく下屋敷をぐるりと囲っている御長屋の一つへ促された。

務めを終えると鏡泉はその御長屋で寝泊まりしていた。しかし、まだ午前中のことで、鏡泉は若君の相手をしていた。中食《ちゅうじき》になるまで源之丞は御長屋の座敷で待つことになった。

屋敷の中間《ちゅうげん》が膳を持って来て源之丞に食事を勧めたのは鏡泉の心配りであろう。質素な献立ではあったが源之丞の空腹を満たすには充分であった。

やがて物音も立てずに鏡泉が襖の戸を開けて中に入って来た。

「待たせたの」

鏡泉は静かに言うと、床の間を背にしてゆっくりとした仕種で腰を下ろした。微塵も崩れた態度を見せない男だった。源之丞は何より鏡泉のその態度に感動を覚える。

「中食を馳走になりました。かたじけのうございまする」

源之丞は深々と頭を垂れて礼を言った。

「腹はくちくなったか？」

「はッ」

「それは何より」

鏡泉はふわりと笑って煙草盆を引き寄せ、銀煙管に一服つけた。ほどなく、膳を運んで来た中間が茶を淹れた湯呑を持って現れた。

「捨吉《すてきち》、わしはこやつと少し話がある。来客があっても断るように」

鏡泉は中間に言った。

「畏まりました」

源之丞に胡散臭い眼をすばやく投げた中間は、それでも殊勝に応えて、源之丞の膳を持って戻って行った。

「町方の者が拙者をつけておりまする」

源之丞は中間の足音が聞こえなくなると、つっと膝を進めて早口で言った。

「大黒屋のことでか？」

鏡泉はちらりと源之丞を見て言った。大黒屋は蔵前の札差の屋号だった。ひと月ほど前、源之丞は鏡泉の命令でその札差の主を斬った。

三日月がひえびえと西の空に繋《かか》っている夜だった。柳橋の料理屋に大黒屋を呼び、勘定方の役人数人が接待した。鏡泉の仕える本多家はその大黒屋に多大の借金があったのだ。

催促を迫られていたが返済の目処はつかなかった。勘定方は返済の延期を願い出たが、大黒屋はそれをあっさりと断った。

手前どもは座興で商いをしている訳ではない、このような接待もご無用、それよりも幾らかでも返済していただきたいと。勘定方は用意していた金子を大黒屋に差し出した。なに、見せ金である。後で奪い取ることは手筈をつけていた。大黒屋の主は、まさかそこで金を返して貰えるとは思っていなかったので、伴もつけずに一人でやって来ていた。それが大黒屋の身の破滅であった。料理茶屋を出た大黒屋は駕籠に乗って店に戻った。源之丞は途中で大黒屋を襲ったのである。

「やはり拙者に疑いを持っていると思われまする」

源之丞は低い声で言った。

「前にも申したであろう。案ずるな」

鏡泉はあっさりと源之丞をいなした。

「しかし、鏡泉様はお屋形様にお仕えするご身分でありますゆえ、町方役人の手は及びませぬが、拙者はこのように陋巷《ろうこう》に身をやつしておりますれば……」

「大黒屋の相手をしたのは上屋敷の者だ。宴席でも和やかに歓談しておる。見世のお内儀《か》や芸者衆にも微塵も不審な素振りを見せてはおらぬ。大黒屋は帰る途中で無頼の輩に襲《み》われたのだ。その無頼の輩がおぬしとは、誰が証明できよう。それとも、おぬしは怖いのか？」

鏡泉は端正な顔に不敵な笑みを浮かべた。

「拙者が手を下すより鏡泉様が行われた方が奴らに感づかれることもなかったろうと思いまする。護持院ヶ原で、拙者が斬り捨てた商人を始末された鮮やかな手口を、拙者は未だに忘れておりませぬ」

「鎌倉河岸のめし屋の亭主のことも存じておれば片がつけられたものを。さすればおぬしは道場から破門されることもなかった。それが悔やまれてならぬわ。大黒屋にわしが自ら手を下しては、それこそ疑いの元。それゆえ、おぬしに頼んだのだ」

鏡泉は何事もない顔で言った。くっきりとしたふた皮眼《かわめ》、高い鼻梁、少し大きいが朱《しゅ》を差したような唇、そして抜けるように白い肌。

鏡泉の風貌は並の男達とは全く違って見える。やはり異人との混血児という噂は本当かも知れないと源之丞は思った。

「鏡泉様でも手出しができぬ場合がおありだということですな」

源之丞は揶揄するように言った。

「当たり前だ。わしだとて人間だ。化け物ではないわ」

源之丞はつかの間、黙った。鏡泉は自分を化け物ではないと言ったが、源之丞にすれば並の人間ではなく、紛れもなく化け物だった。

それも美しい化け物。

鏡泉は南の長崎の寺の前に捨てられていた孤児であった。寺の住職は鏡泉を引き取って育てた。そのまま行けば僧侶の道を辿ったであろう。しかし、並外れた美形は人目を惹き、領地を治める藩主から近習に取り立てられた。

鏡泉は藩主の寵愛を受けた。ただ、鏡泉の幻術がどのように培《つちか》われたものか源之丞には定かにわかっていなかった。ただ、仕方噺に鏡泉が語ったところによれば、鏡泉は寺にいた時に婆羅門教《ばらもんきょう》の呪術を独学で体得したという。それは寺にある古い文献の中にあったものである。

婆羅門教は天平年間に天竺から日本に伝わった宗教の一つである。その教えの中に呪術が含まれていたらしい。鏡泉はその呪術に深く惹かれた。そして呪術を鏡泉流の幻術に変化させたのである。

住職は婆羅門教を外道として経堂の奥に文献を隠蔽していた。しかし、ある日、鏡泉は住職に経堂の文献の整理と掃除を命じられた。古い文献を整理していた時に婆羅門教の呪術が書かれているものを偶然に見てしまったのだ。そこには異人の男が呪術を施している挿画《さしえ》も添えられていた。自分と同じ巻毛をした異人である。挿画の人物が会ったことのない父か祖父に思えた。鏡泉は呪術を体得することを天恵と捉え、それから度々、経堂に忍び込んで、ついに呪術をわがものにした。住職は鏡泉が外道に就くことをきつく戒め、藩主から近習に取り立てられた時も、その術を使うことはならぬと何度も釘を刺した。住職は鏡泉の術を知っていたのだろう。

鏡泉は育ての父である住職の言葉をしばらくは守っていた。しかし、鏡泉を取り立てた藩主は衆道《しゅどう》（男色）の趣味の持ち主であった。

美しい鏡泉に食指が動いたのは至極当然のなりゆきであった。醜男《ぶおとこ》の藩主に鏡泉の嫌悪感は募った。仏の心を修行していた鏡泉は女犯《にょぼん》も衆道も禁じられていた。いきなり汚れ切った世界に放り出された鏡泉は混乱した。藩主の閨《ねや》の相手を務め、菊座の痛みを堪《こら》えて自室に戻ったある夜、鏡泉は不覚の涙をこぼした。

畳の上に滴った涙を鏡泉は指で静かになぞった。すると、こぼした涙は白い蛾《が》となって部屋の中を飛んだ。それから狩野派の絵師の手になる屛風に眼を向け、そこに描かれていた牡丹の花に手を触れて見た。牡丹は絵から抜け出て、たった今、手折ったばかりのような瑞々しさで鏡泉の掌にあった。鏡泉はたちまち愉快になった。自分にはこのように優れた技がある。何があっても沈むことはない。

鏡泉は牡丹で半刻ばかり遊ぶと屛風の中に返した。はたして牡丹はまた、絵の中の牡丹となった。

鏡泉の心の思うままに万物は動く。このことは鏡泉の自信となった。さすれば、嫌やな藩主の相手をして我慢することもない。鏡泉は、ついに藩主の目の前で幻術を使った。藩主は驚き、ついで鏡泉に恐れを抱いた。鏡泉は縄で縛られ、牢に収監された。そのまま切腹の沙汰が申し渡された。

鏡泉は切腹の日、大勢の家臣の前で姿を消した。忽然と、風のように。

鏡泉は城から抜け出て江戸行きの船に乗っていた。船の上から今まで暮していた城が見えた。鏡泉は、その城が燃える様を想像した。自分を苦しめ、果ては命を奪おうとした憎い男のいる城を。

空が俄かに黒い雲で覆われ、稲妻が光った。白い眩しい光が城の天守閣に落ち、そして火が点《つ》いた。

「あ、お城が燃えているぞ」

船の同乗者が悲鳴のような声を上げた。

「雷が落ちたのだ。あな恐ろしや」

掌を合わせる者もいた。燃えてしまえ、何も彼《か》も。鏡泉は込み上げる笑いを堪えるために、きつく唇を嚙み締めたという。

「ところで源之丞、あの髪結いをまた頼めるかの？」

鏡泉は灰落としに煙管を打ちつけると話題を換えるように言った。大黒屋の話はそれで仕舞いになったようだ。鏡泉の栗色の髪は相変わらず顔の周りで渦巻いている。巻き毛は天然自然のもので、幾ら手を入れてもまっすぐにはならない。しかし、半日ぐらいなら鏝《こて》と鬢付油でもたせることはできると茅場町にいる廻り髪結いは言った。

屋敷の紋日《もんぴ》に、源之丞は鏡泉のために、その廻り髪結いを一度、小石川の屋敷に案内したのだ。若い髪結いである。しかし、腕はいいとの評判を源之丞は聞いていた。

「すぐに元に戻ってしまいやすが、それでもいいんでござんすね？」

髪結いは念を押した。お屋敷の行事が終わるまで、もてばいいのだと鏡泉は応えた。

髪結いは鋏のような形をした鏝で鏡泉の髪の毛を慎重に伸ばした。鏝は熱過ぎては毛を焼くので、その按配に髪結いは苦労していた。

しかし、さすがにその道の修業をした者。

小半刻《こはんとき》（三十分）後にはきれいに撫でつけられた鏡泉の頭ができ上がった。束ねた髪につけた元結も、常に使用していた白ではなく、濃紫《こむらさき》だったのが鏡泉を喜ばせたらしい。鏡泉はその髪結いに祝儀を弾んだ。鏡泉は、身を構うことに熱心であった。

「何かまた、お屋敷の方でお祝い事でも？」

源之丞は気になる眼を擦りながら訊いた。

「若様が本多家の正式なお世継ぎとなることが決まったのだ」

「それはそれは……」

源之丞はおざなりに言って鏡泉の表情をそっと窺った。鏡泉が世話を焼いている若君は正室の子ではなく、甲斐守が大枚の身請け料を払って吉原の大文字屋から落籍して側室に据えた花魁《おいらん》の産んだ子である。正室にも息子が一人いたのだが、その子は生まれつき病弱であった。甲斐守は閨でその側室から自分の子を次期藩主にと懇願されたのだろう。

そうは言っても正室が承知しない。本多家は世継ぎ問題で長いこと揉めていた。しかし、この春から正室の精神に異常が見られ、ついに屋敷内にある座敷牢に収監されることになった。もはや文句を言う者もいなくなったという訳である。源之丞はひそかに、鏡泉が幻術を操って正室をそのようにしたのだと思っている。八歳の若君は鏡泉を深く慕っていた。鏡泉、鏡泉と夜も日も明けぬ様子である。若君に向ける鏡泉の眼も愛《いと》し気であった。源之丞は幼い若君に嫉妬めいた感情を抱くこともあった。

「源之丞、さかんに眼を気にする。どうした？」

鏡泉はようやく源之丞の眼に気づいた。

「いやなに、塵が入ったようで……」

源之丞がそう言うと、鏡泉は静かに立ち上がり傍まで来た。そして長い指を源之丞の顎に添えた。

「動くでない……おお、いかにも塵が入っておる」

鏡泉は源之丞の眼に自分の舌を使ってその塵を舐め取った。鏡泉の赤い舌の先にある塵が胡麻のかけらのように見えた。鏡泉は懐から懐紙を取り出して舌を拭った。

「ちと眠気が差した。源之丞、しばらく昼寝につき合え」

鏡泉はそう言うと、いつものこもった笑い声を洩らした。

三

「旦那、あの浪人は昨日、小石川の大名屋敷に入って行きやした。昼前から夕方になるまでそっちにおりやした」

弥八が北町奉行所、定廻り同心の不破友之進に言った。弥八は土地の岡っ引き留蔵の養子であった。

「本多甲斐守の下屋敷だな？」

応えたのは不破ではなく隠密廻り同心の緑川平八郎である。彼は不破の親友で、事件ともなるとお互いに意見を交換して解決策を練ることが多い。不破は自身番の火鉢に腰を屈《かが》め、手炙りした恰好のまま、先刻から何も喋らない。弥八はそんな不破に幾分、苛々した様子であった。

「聞いているんですかい、旦那。眼を覚ましておくんなさいよ」

弥八は仕舞いには不破の紋付羽織の袖をつっと引いた。

「やかましいわ。ちょいと考え事をしているんだ。うるせェ野郎だ！」

不破の剣幕に弥八は少し顔色を変えたが「伊三《いさ》の兄ィは遅っせェなあ」と取り繕うように呟いた。

「旦那、大名屋敷とその浪人には、どんな繋がりがあるんでしょうね」

留蔵は緑川にそっと訊いた。留蔵は今年四十歳になる男で代々、十手を預かる家に生まれた。常は湯屋「松の湯」を営む。少しおっちょこちょいな面もあるが情に厚く、土地の親分として慕われる男であった。留蔵は子がなかったので子分の弥八を養子に迎えたのだ。

「うむ。あすこの小姓組にいる岸和田鏡泉という者が浪人の面倒を見ているようだ」

緑川は事務的に応える。

「小遣いを渡しているということですかい？」

留蔵は覆い被せた。

「恐らくな」

「そいつはあれですかい、手前ェの言うことを利く便利な野郎ということで？」

「大黒屋を殺ったのは、その浪人だ。指図したのは鏡泉だ。だが、大名屋敷の人間に我ら町方の者は手出しができぬ。とりあえず、浪人をしょっ引くことが先決だ」

緑川がそう言うと、不破がぎらりと振り返った。

「何んの咎《とが》でだ？」

「むろん、大黒屋殺しだ」

「無理だ」

緑川の言葉を封じるように不破は吐き捨てた。

「おぬしはしょっ引いて、仕置きを掛けりゃ白状するとでも思っているようだが、そいつは甘い。あの男は梃子《てこ》でも口は割らぬ。そういう男だ。昨年来からの辻斬りも恐らく奴の仕業であろう」

「どうしてわかる？」

緑川は不服そうに口を返した。

「わからいでか。鏡心明智流、おれっちの剣と同様よ。背中を袈裟掛けに斬るやり方は竹刀ではやらぬが、真剣を以てなら、これほど有効なやり方もない。後ろから不意を突いてばっさりだ。おれが辻斬りでもそうやる。鏡心明智流を志した者ならおれでなくても奴の剣に見当がつくはずだ」

剣の技については緑川より不破の方がうわ手だった。緑川は短い吐息をつくと午前中の仄白い光を受けた自身番の油障子の戸に眼をやった。

しばらくすると、そこに人の影が映り「髪結いの伊三次でございやす」と、如才のない声が聞こえた。留蔵は出て行って戸を開けた。

「どうも、遅くなりやして……今日は緑川の旦那もご一緒ですかい？　こいつはお務めご苦労様にござんす」

伊三次は商売道具の入った台箱を傍らに置いて頭を下げた。

「お前ェの方に何かわかったことがあるか？」

不破は幾分、声音を和らげて伊三次に訊いた。伊三次は袷の上に季節柄、黒八《くろはち》を掛けた半纏を羽織っている。髪結床に嫁に行った姉が今でも世話を焼くので、独り者にしては、いつも小ざっぱりとした形《なり》をしていた。

「旦那、こいつが大ありですよ。わたしはまた、あの鏡泉という男の頭を頼まれたんですよ」

「なに？」

不破と緑川の声が重なった。

「伊三次、鏡泉という男はどんな奴なんだ？」

緑川は首を伸ばして伊三次に訊いた。

「それがですねえ……」

伊三次は履物を外して座敷に上がると緑川と不破の間に腰を下ろして口を開いた。

その風貌が日本人離れしていること、髪の毛が巻き毛で、しかも栗色掛かっていること、肌が白粉《おしろい》を刷いたように白いこと、若君のお守り役であること、そしてどうやら、屋敷の中間から聞いたところによれば幻術を使うということを。

「幻術？」

不破が呑み込めない表情で訊いた。

「わたしはよくわからねェんですがね、そのう……手妻《てづま》（手品）みてェな、いや手妻とも違うな。もっと空恐ろしい技だそうです」

「兄ィ、児雷也《じらいや》みてェにこうか？」

弥八は指で修験者が印《いん》を結ぶ仕種をして見せた。

「そうかも知れねェな。何んでもね、その中間が見たのは、正月の座興にあすこの殿様が鏡泉に何かやれと言ったんだそうです。そしたら、あの男は柱から水をちょろちょろと出したんだそうです。水はたちまち座敷に流れて、みるみる池のようになっちまった。そこにいた者は皆、水浸しでさァ。ところが殿様が、もうよいと言った途端に水は引いて、気がついた時は元通りになっていたという訳ですよ。濡れた着物もいつの間にか乾いていたそうです」

伊三次の話に自身番にいた者は皆、信じられないという表情だった。

「そういう男が相手では、ますますこの一件、困難を極めるのう」

緑川の言葉尻に溜め息が混じった。不破が苦笑して鼻を鳴らした。

「珍しく弱気だの」

「なに、おれは下手人がどれほど悪党でも恐れはせぬが、幻術だの忍術だのという類は苦手だ。まともなこともまともでなくなる。どう判断してよいかわからぬ」

「所詮、人間のやることだ。どこかに抜けたところがあるはずだ。鏡泉が伊三次に頭を頼んで来たというのは一つのきっかけだ。何か手立てが見つかると思う。伊三、鏡泉の頭を頼んで来た奴は例の浪人か？」

不破は緑川に比べて意に介している様子もない。もともと、そういう怪し気なものは一切、信じない男である。

「へい。秋津源之丞という名前ェです。もとは神田の須田町にいたと言っておりやした。今は三河町だそうです」

「そこまで明かしたか。でかしたぞ、伊三。奴はおれが思った通り、神田須田町の津田道場に通っていた者に違いない。津田道場は鏡心明智流だ。それで伊三、今度、鏡泉の頭をやりに行く日はいつだ？」

「へい、明後日です」

「抜かるなよ。鏡泉の苦手を探って来い」

「承知致しやした」

「平八郎は幻術が苦手と来るなら、そちらはおれが探りを入れよう」

「どうする？」

緑川は怪訝な眼を不破に向けた。

「親父様の寺に行って和尚に教えを請うて来るわ。ついでに墓参りもして来るつもりだ」

「ほう。それこそ珍しい。おぬしが親父殿の墓に殊勝に掌を合わせる図はどう考えても似合わぬのう」

「何言いやがる」

「墓参りは度々しておるのか？」

緑川は務め向きの口調ではなく、親しい友として訊いている。

「い、いなみがやっておる」

不破は慌てて妻の名を出した。

「やっぱりのう」

緑川は合点のいった顔で肯いた。弥八が、ぷっと噴いた。それにつられて伊三次も口許を押さえた。不破は伊三次の後頭部を手加減もせずに張った。

「な、何んですよう。わたしは何も……」

「うるせェ」

不破はぷりぷりして立ち上がると自身番の外に出て行った。後に残った者は顔を見合わせて馬鹿笑いした。

「伊三次、お前ェがお上の御用をしていることは、その秋津何んとかは知らぬのだな？」

緑川はすぐに笑顔を消して伊三次に向き直った。

「へい、今のところは」

伊三次はにッと笑って応えた。

「将《しょう》を射んとせば馬を射よ、友之進はそのつもりでおるのだろう」

緑川がそう言うと弥八は小首を傾《かし》げた。

「旦那、この場合、浪人が将になるんですかい？　何んか違うような気がしますけど」

「………」

「やっぱ、その鏡泉とかいう児雷也もどきが将で、馬は浪人でしょう」

「……」

「黙れ！　手前ェは友之進の言うように、少し、うるせェ男だ」

緑川は癇を立てた。弥八はそれ以上、何も言わなかった。自身番の外は相変わらず風が強い。一日暮せば、顔は埃でお汁粉のようになるだろう。伊三次はぼんやりとそんなことを考えながら、少し長い吐息をついた。

四

秋津源之丞が二度目に鏡泉に出会ったのは、この夏の初めである。金にそれほど不自由してはいなかったが、何も仕事に就いていない源之丞は一日がやたら長く感じられてならなかった。夜は居酒屋に行ったり、切見世で妓《おんな》を買うこともできたが、日中は暇を持て余していた。江戸のあちこちをぶらぶらと歩くことが多かった。

西両国広小路は、そんな源之丞の無聊を慰めるのには、うってつけの場所だった。小屋掛けの芝居小屋があり、水茶屋、楊弓場《ようきゅうば》、様々な床見世《とこみせ》も軒を連ねている。その日も楊弓場の女をからかい、水茶屋で喉を潤していたところだった。

源之丞の目の先に鏡泉が歩いていた。袂の長い薄物仕立ての着物に絽の袴をつけていた。

その恰好は芳町の蔭間のようにも見えた。

源之丞はすぐに護持院ヶ原で出会った男だと気づいた。すっと立ち上がると鏡泉の前に進んで行った。

「しばらくだったの」

鏡泉は驚いた様子もなく、唇の端を歪めるようにして笑った。これほどの美形であったとは源之丞も気づかなかった。あの時は夜のことであり、表情もわかり難かったのだろう。

「おれが斬った男はどうした？」

源之丞は直截に訊いた。鏡泉は辺りにふっと視線を投げてから「何んのことだ？」と、白ばくれた。

「だから、おれが護持院ヶ原で斬った男のことだ」

そう言うと、鏡泉は眉間に皺《しわ》を寄せ、源之丞の着物の袖を引いて、人のいない物陰に促した。

「天下の往来で物騒なことを申すな。誰が聞いているやも知れぬ……案ずるな、あの男は護持院ヶ原の松の根方に埋めた。口外もしておらぬ」

「なぜそこまでする。見ず知らずのおれを」

「さてな。なぜであろうの」

「……」

「しいて理由をつけるのなら、おぬしの眼だろう」

「眼？」

源之丞は訝しい顔になった。

「誰も親身に尽くしてくれる者が傍におらぬ孤独の眼だ」

あやうく噴き出しそうになった。そんなことは今まで言われたことがない。よくも目の前の男は、そのような歯の浮くような台詞を吐けるものだと思った。

「母親は生きておるのか？」

しかし、鏡泉は意に介したふうもなく続けた。

「国許で一番上の兄と一緒に暮しておるわ」

「おぬしのことを案じておろうの」

「……」

鏡泉は源之丞の痛いところを衝《つ》いて来た。

いかにも母親は自分を案じておろう。江戸で不始末をしでかして道場を破門になり、家督を継いでいる兄からも勘当された末の息子のことを。母親の優しい白い顔が源之丞の脳裏を掠めた。

「わしは親に捨てられた身だ。実の母親の顔も父親の顔も知らぬ。母と呼び掛けることのできる者が心底、羨ましくてならぬ」

鏡泉はしみじみとした口調で言った。源之丞は鏡泉の言葉に、もう笑う気持ちはなかった。誰にも母親はいる。母親は愛しい。だが、自分は、ただ今のありようを母親に告げたくはなかった。母親とは自分が手柄を立てた時、はたまた、まっとうな生き方を手に入れた時に初めて思い出す人なのかも知れない、と源之丞は思った。

「相変わらず、これをしているのか？」

鏡泉は刀の柄《つか》を握り締める仕種をした。源之丞は曖昧に笑った。

「わしが面倒を見ようかの。さほどに金は出せぬが、暮しの不自由はさせぬ。辻斬りよりましであろう」

「おれを虚仮《こけ》にした物言いだ」

「そう取ったか？　わしは真面目に言うておるのだぞ。まあ、時にはおぬしの剣の技を発揮して貰うやも知れぬ」

「……………」

「どうだ？　悪い話ではなかろう？」

鏡泉はそう言って両手で源之丞の頰を挟むようにすると、その眼を深々と覗き込んだ。

不思議な心地がした。源之丞はうっとりとされるままになっていた。

鏡泉はそれから源之丞を出合茶屋に連れて行った。鏡泉と衆道の関係を結ぶことが、つまりは主従の誓いであったのだろう。

源之丞は廻り髪結いの伊三次と三河町の辻で待ち合わせると、一緒に小石川に向かった。

途中、近道をするつもりで護持院ヶ原を通った。髪結いは「薄っ気味悪いところですね」と感想を漏らした。

「将軍家の狩り場だそうだ」

源之丞は鏡泉に教えられたことをそのまま髪結いに言った。

「へえ、江戸の真ん中で狩りですかい」

髪結いは不思議そうに応えた。護持院ヶ原は冬の間、入口を閉ざして通行ができない。しかし、夏場は茶店が出て涼みに来る客も多いという。

昨年の秋に源之丞がそこで鏡泉に出会ったのは護持院ヶ原が閉鎖される少し前のことだった。狩りの得意な甲斐守はその日、将軍の伴についた。その時、拝領した扇子をなくしたのだ。甲斐守は内々に鏡泉へ扇子を探すことを命じた。広い護持院ヶ原では、小さな扇子を見つけるのも容易ではない。

そういう時、得意の幻術も役には立たなかった。ようやく見つけた時には早や、漆黒の闇が辺りを包んでいた。そして帰路に着こうと思っていた矢先、源之丞の狼藉に出くわしたという訳である。

源之丞はそこここにある松の根方に自然に眼がいった。その中の一つに斬り捨てた商人の骸が眠っているはずである。

「そう言えば、去年の今頃、江戸橋の葉茶屋の番頭がここから消えちまったという話を聞きやした。そいつはあれですかねえ、神隠しでござんしょうかねえ。ふっつりと消息が途絶えて、未だに行き先がわからねェらしいですよ。まあ、神隠しがあったとしても不思議には思えねェような所ですがね」

髪結いの言葉に源之丞の胸は驚くほど大きな音を立てた。こやつは人の心が読めるのかとさえ思ったほどである。だが、髪結いは外濠に細かく立っているさざ波を見つめて寒そうに首を縮めただけだった。

「少し急ぐぞ。時刻に遅れると鏡泉様は大層、機嫌を悪くされる」

源之丞は髪結いを急《せ》かした。髪結いはきれいな歯並びを見せて「へい」と笑った。

「雑作を掛ける」

鏡泉は髪結いに背を向けて毛受《けう》けを持つと短い礼を述べた。源之丞は襖の近くに控えてその様子を眺めた。

「とんでもねェ。わざわざお声を掛けていただきやして、こちらこそお礼申し上げます」

髪結いは鏡泉の肩に花色手拭いを掛け、ゆっくりと髪を梳き始めた。

「いいおぐしでござんすねえ」

髪結いは世辞を言った。

「何を言う。この髪がわしの長年の悩みなのだ」

「そりゃあ、月代《さかやき》を剃って、お武家の髪型になさるにゃ、ちょいと不都合はおありでしょうが、この手触りと腰は、他にはありやせんぜ。それにね、この色でございますよ。栗色の何んとも言えねェいい色だ」

髪結いの言葉に鏡泉は、ほくそ笑んだ様子があった。

「どうしても巻き毛を直すことは無理か？」

鏡泉は何度も口にした質問をまたした。

「申し訳ございません。わたしの腕では今のところ、どんな手立てもありやせん……まあ、これで平賀源内先生のような方が巻き毛をまっすぐにする薬でも発明して下さったらいいんですがねえ」

「平賀源内を出して来たか。生意気な髪結いだの」

鏡泉はそう言ったが穏やかに笑った。

「今日はずっとこちらのお屋敷の方にいらっしゃるんでございやすかい？」

髪結いは火鉢に炙って置いた鏝の様子を見ながら訊いた。

「いや、若君の件をして外桜田の上屋敷まで参る。道中、人の眼があるのでわしも気を遣う」

「さいですか、人の眼は気になるものでございますからねえ」

髪結いは妙に引っ掛かる物言いをした。鏡泉の頭に鏝を当てた時、僅かに毛が焦げる匂いがした。

「おっと、大事なおぐしが……ああ、大丈夫でございますよう。旦那、元結はこの間は紫を使いやしたが、本日は金も銀も持って参じました。銀色なんざ、いかがでござんしょう」

「うむ。よいかも知れぬ」

鏡泉は至極満足そうに肯いた。

「旦那はずっとこちらのお屋敷でご奉公なさっておりやしたんで？」

鏝を使いながら髪結いはまた口を開いた。

「余計なことを申すでない」

源之丞は一喝した。

「あいすみません。こちとら、滅法お喋りなもので、仕事も喋っていた方がはかどるんでございますよ」

「やりやすいのならそれでも構わぬ。……わしは五年ほど前から本多様に奉公しておる。

それ以前は伝通院で世話になっておった。育ったのが長崎の寺であったからの。寺の暮しが性に合っておる。したが、若君がおいでになって、わしをいたくお気に召したご様子での、お屋形様がお役を与えて下さったのだ」

「さようで。長崎の出でございますか。それはそれは……暑い所でござんしょうねえ」

「ふふ、江戸の夏もなかなか暑いぞ」

「まあ、さいですね」

そう言いながら髪結いは鏝を器用に操って巻き毛を伸ばした。それが済むと鬢付油を丁寧に鏡泉の髪に揉み込んだ。

「もう一つ、お訊ねしたいことがあるんですが、叱られそうですからよしに致しやすよ」

髪結いは気後れした顔で言った。

「何んだ？」

鏡泉は思わず振り返った。髪結いはその頭をさり気なく前に戻して「実は妙な噂を聞いたんでございますよ」と言った。

「いい加減にせぬか」

源之丞は甲走った声で制した。

「あいすみません。よしに致しやす」

「構わぬ、言うてみよ」

鏡泉は鷹揚に言った。

「そのね、旦那は、ひゅうどろどろと忍術をお使いになるとか……」

髪結いは、つかの間、手を止めて鏡泉の耳許へ囁くように言った。髪結いの息が掛かると鏡泉はくすぐったそうに首を縮めた。

「忍術などではない。わしのは幻術だ」

「幻術？」

「わしが心に思うことを、うつつのことのように人の眼に見せるだけだ」

「旦那の心の様を人に見せる訳ですかい？」

大袈裟に驚いた髪結いの顔が間抜けて見えた。源之丞は苦笑した。しかし、そのような話を髪結い風情に明かしていいものかとも内心では思っていた。

「そいじゃ、もしも旦那がその術をお使いになった時、わたしらは、これはうつつではない、夢のようなものだと思やいいんですかい？」

「まあ、そうだ」

「髪結い、だが、なかなか一筋縄《ひとすじなわ》ではゆかぬぞ。人の眼は曇っておるゆえ、まんまと騙されるのだ」

源之丞が口を挟んだ。鏡泉は黙ったまま毛受けに落ちた長い髪を指でからめ取った。

鏡泉の指に巻いた毛は、しばらくするとうねうねと動き出して細い蛇となった。髪結いは大袈裟な悲鳴を上げた。

「旦那、勘弁して下さいよう。よっく、よっくわかりやしたから」

髪結いは鏡泉の指先を恐ろしそうに眺めながら怖じ気をふるった。鏡泉はこもった声で、うふふと笑った。それから髪結いは、もう何も喋らず、黙って鏡泉の髪を纏《まと》めることに集中した。

源之丞は、鏡泉が若君の駕籠につき添って下屋敷から出て行くのを見送ると「さて、われらも帰るとするか」と、髪結いを促した。

「旦那、今日もまた埃っぽい日でござんすね。どうです？　これからちょいと京橋まで足を延ばしやせんか？　なにね、顔が利く湯屋があるんですよ。そこでゆっくり汗を流して、帰りは近所の店にご案内致しやす。わたしは下戸でござんすが、旦那はいける口でござんしょう？　岸和田の旦那から祝儀を弾んでいただきやしたので、ちょいとこのう、お礼を致してェと思いやして」

廻りの髪結いにしてはなかなか気の利くことを言った。何も用事のない源之丞は喜んで髪結いの後について行った。

京橋に向かう道中、髪結いは源之丞によく話し掛けた。こいつは自分に好意を持っているのかと思ったほどである。源之丞は今まで、そうして他人に親しくされた覚えがない。それが妙に心地よいことに思えた。武家勤めでなくとも、まっとうな仕事に就いて親しい友ができたならどれほどいいだろうと思った。

一緒に歩いている髪結いのように如才なく振る舞ってくれる友が。

髪結いは京橋の松の湯という湯屋に源之丞を連れて行った。番台に座っていた小女が「兄さん、おいでなさいませ」と、親し気に挨拶したので、顔が利くという話は、まんざら嘘でもない。その湯屋で髪結いは源之丞の背中を丁寧に擦ってくれた。そんなこと、三助にさせたらよかろうと思ったが、三助は女湯からお呼びが掛かって手が離せないということだった。

湯から上がると二階に案内され、髪結いは源之丞の頭を纏めてくれた。しばらく髪結床にも行っていなかったので、源之丞は久しぶりに、さっぱりとした気分を味わった。

湯屋から出る時、刀掛けに置いた自分の刀が少し様子が違っているようにも見えたが、髪結いが、さあさ、行きやしょう、行きやしょうと急かしたので、源之丞はそのまま茅場町に近い一膳めし屋に向かった。

髪結いは鏡泉の幻術にいたく興味を惹かれた様子で源之丞に仔細を訊ねた。そう言われても源之丞にすら幻術の詳しいところはわからない。護持院ヶ原で鏡泉が大蛇と見せたもので自分の首を締め、意識を失った話をした。

その大蛇の元は何んだと問われて、源之丞はもう少しで斬り捨てた男だと言いそうになったが、かろうじて堪えることができた。

一膳めし屋で徳利の酒に酔い、そういう店にしては思いの外、味のいい晩飯にありついた。帰りは髪結いがわざわざ神田三河町まで送ってくれた。そのようなこと、せずともよいと断ったのだが、髪結いは親切に、いやいや、無事にお送りしなければ心配でなりやせんと応えた。髪結いの伊三次という男は存外にいい奴であった。

五

不破友之進は父親の菩提寺に行ってから、しばらく八丁堀には戻って来なかった。どうやら鏡泉攻略のための策を練っていると思われた。

緑川平八郎が時々、その寺を訪れては着替えなどを届けている様子である。伊三次は源之丞から仕入れた情報や、目の前で鏡泉が自分に見せてくれた幻術のさわりを緑川に詳しく伝えた。

しかし、岸和田鏡泉は本多甲斐守に仕える身。当たり前の考えでは町方役人は手を出せない。

若君の世話役の鏡泉はまことに熱心にお務めに励んでいる。本多の屋敷においての鏡泉は、今までも、そしてこれからもしくじりをするとは考え難い。大黒屋のような問題がまた発生すれば別であるが。

大黒屋が鏡泉の指図で亡き者にされたのは大いに考えられることだが、それを大目付に注進したところで本多家では素直に認めようとしないだろう。鏡泉の不利になるようなことは万が一にも家臣は喋らない。

北町奉行所の役人達は秋津源之丞を下手人として捕らえるために、どうしても鏡泉を何んとかせねばという考えになった。正攻法ではむろん、勝ち目はない。幻術を操るとなってはなおさらである。

北町奉行所始まって以来の特異な人物であった。

緑川平八郎から小者達に招集が掛かったのは、不破が寺にこもってから十日が経った頃だった。

師走まで残すところ幾日もない。何んとしても年内にこの事件を解決したいという気持ちが緑川の表情に感じられた。

「昨日、友之進の様子を見て来た」

緑川はさり気なく口を開いた。

「それで旦那はどんな按配なんです？　あの児雷也もどきをやっつける案でも浮かんだんですかい？」

弥八が早口で訊いた。

「友之進はただ今、精神統一を計っておる」

「へ？」

弥八は呑み込めない表情で緑川の細面の顔を見つめた。

「要するにだ、伊三次の話では鏡泉の幻術は、あやかしの、まやかしで、あくまでもうつつのことではないのだ。それに惑わされない心の準備をしておるという訳だ」

「しかし、旦那が果たしてうまく事を運ぶことができるかどうか……あっし等だって、こんなことは初めてで、何が何んだかさっぱり合点がいきやせんて」

留蔵が吐息混じりに口を挟んだ。自身番の戸はぴったりと閉められていたが、隙間風がどこからともなく入って来る。伊三次は半纏の襟を掻き合わせて懐手をした。留蔵の言うことはもっともだとも思っている。

「今を遡《さかのぼ》ること二百年以上も前の天正年間のこと……」

緑川は不破から聞いた和尚の話を自身番に居並ぶ顔に語った。

太閤秀吉の時世に果心居士《かしんこじ》という名の幻術使いがいた。鏡泉と同じであやかしの技で人々を攪乱したという。果心居士は天竺人であったらしい。

果心の噂は秀吉の耳にも届き、彼は城に招かれ幻術を披露した。その幻術は秀吉の逆鱗に触れ、果心はそこで命を落とした。秀吉の逆鱗に触れた訳は、秀吉の心の奥底に隠していた心の秘密を果心が明かしたことによる。

それが何んであったか、今では皆目わからぬが、秀吉の命令により修験者が果心の首を刎《は》ねた。その修験者は果心の苦手とする人物であったという。

「しかし、そう言われても旦那、まるっきり、あっし等には雲を摑むような話でさァ」

留蔵はどうしようもないという顔で応えた。

「不破の旦那はその果心とかいう男をやっつけた修験者になろうとしているんですね？」

伊三次は留蔵に構わず緑川に言った。

「うむ。伊三次、友之進にできると思うか？」

「さて、そいつは一向に見当がつきやせんが、鏡泉の術がうつつのことではないとわかった以上、さほど怖がることはねェと思いやす。不破の旦那が鏡泉の術に惑わされねェだけの心構えを身につけられたら、そいつはできねェ相談でもねェでしょう」

「兄ィの言う通りだ。不破の旦那は神も仏も信じねェお人だ。幽霊も狐狸《こり》の類も信じねェ。死人《しびと》を見ても顔色一つ変えねェ……そうですよ、不破の旦那なら、あの児雷也もどきをやっつけられるはずだ」

弥八が昂った声を上げた。

「それで、不破の旦那の心構えが固まるのはいつになるんです？」

伊三次は緑川に畳み掛けた。

「うむ。あと四、五日と言うておった」

「そいじゃ、わたしらはその間、何をしたらいいんですか？」

「鏡泉の風聞を流せ。何んでも構わぬ。人の眼を気にする鏡泉が苛立つようなものをだ」

緑川はきっぱりと言った。それが緑川の策であったのだろう。

「鏡泉は異人だ、毛唐だ、こうですね？」

弥八がすぐに乗って来た。

「うむ。そんなところだろう」

「ついでに赤毛の蔭間野郎、坊主になりそこねた能楽者、蛇遣い、ふたなり、臆病者に意気地なし、ついでに大黒屋殺し……」

「お、おい」

調子づいた弥八に緑川は眉をひそめた。

「合点承知之助とくらァ。旦那、任して下せェ」

弥八は女物の半纏の裾をすぱっと捲《めく》ると、勢いよく表に飛び出して行った。

「いいんですかい？」

留蔵が心配そうに緑川に訊いた。

「まあ、いいだろう」

「それで、あの浪人はいつ、しょっ引くんです？」

伊三次は源之丞のことが気になった。最近は暇になると茅場町の辺りをうろついている。

伊三次の塒は教えていないから、まさかそこまでは来ないだろうが、小者という自分の素性がばれることを伊三次は恐れていた。武張《ぶば》った物言いをするが源之丞は存外に寂しがり屋であった。そして鏡泉も端正な表情の下に寂寥を抱えている気がしてならない。伊三次はこの二人に共通する匂いを嗅いでいた。

「友之進が戻って来たら、すぐにしょっ引く。それから鏡泉を呼び出す。奴は来る、必ず」

緑川はきっぱりと言った。

「奴の刀を親分に見て貰いやした」

伊三次は留蔵をちらりと見て言った。伊三次は源之丞を松の湯に連れて行った時、こっそりと留蔵に繋ぎをつけたのである。弥八の面は割れているので顔を出すなと釘を刺した。

「そ、そう。刀ァ、引っこ抜いて見ると血糊の痕が残っていて、拭いても取れるどころじゃありやせんでした。おまけに刃こぼれが幾つもありやした。人斬りしたことは間違いありやせん」

留蔵は慌てて言い添えた。

「あと四、五日と言ってもなあ……よし、浪人をしょっ引く。鏡泉の耳に届くまで二日は掛かる。何んとか時間は稼げるだろう。浪人は鏡泉に助けを求める。その時、友之進が存分に働きのできる場所へ鏡泉を誘い出す。その場所は……」

「護持院ヶ原」

伊三次が淡々とした表情で応えた。なぜか、そこが一番ふさわしい場所に思えた。

「うむ。そこだ」

緑川も同様のことを考えていたらしく大きく相槌を打った。

「お奉行に申し出て、鏡泉を誘い出す日に入口を開けて貰うよう手筈を調《ととの》える。そして、捕物だ」

「本多のお屋敷の方はどんな手立てを考えていらっしゃるんで？　わたし等はお武家をしょっ引けない立場じゃござんせんか。鏡泉は家臣ですぜ」

伊三次は気になっていることを口にした。

「伊三次、何んでもな、抜け道というものがある。この度のことで、実はお奉行が内々に池田様という大名にお会いになった」

「池田様、でございやすか？」

伊三次は怪訝な顔を緑川に向けた。

「本多の奥方のご実家だ」

「はあ……」

「池田様は以前より奥方の乱心を不審に思うておられた。これは世継ぎ問題で鏡泉が奥方に幻術を以て乱心するように仕向けたのではないかと思われてるそうな。池田様はかねてより北町奉行所に、いざという時の警護を依頼されておる大名だ。お奉行は、本多の家臣である鏡泉を吟味するのは、町方にとっては難しいと定法通り申し上げた。ところが池田様は鏡泉を屋敷外に連れ出して、そこで、いかがわしき行動が見られたら、迷わず召し捕らえて構わぬと言われた。万一の時は池田様が大目付に口利きをなさる覚悟でおるそうだ。可愛い妹、不憫な甥っ子のためにひと肌脱ぐ所存でおられる」

「そいじゃ……」

「うむ。とにかく、鏡泉を本多の屋敷から連れ出すことを我等は考えたらいいのだ。その先は……」

そこで緑川はごくりと固唾を飲んだ。

「友之進の腕を頼むしかない」

伊三次は緑川の言葉に無言で肯き、留蔵はぶるっと身体を震わせた。

六

まだ明六《あけむ》つ（午前六時頃）の鐘も鳴らぬ早暁。神田三河町の塒に町方の役人が捕物装束で現れた。大黒屋殺しの廉《かど》で源之丞を捕らえに来たのだ。前夜、さほど酒を飲んでいなかったのが幸いであった。源之丞は油障子を蹴破って来た町方役人を刀でいなし、猫の額ほどの庭先から表に出て、隣家の屋根伝いに通りに逃げた。そのまま「御用、御用」の胴間声を背中で聞きながら、小石川まで走りに走った。

本多甲斐守の下屋敷に着いた時、源之丞は師走の声を聞く日も近いというのに、水を浴びたように、びっしょりと汗をかいていた。

起きたばかりの門番は、まだ眠そうな顔をしていた。そいつに一喝して鏡泉に取り次ぎを頼んだ。

鏡泉はその時間、すでに起きていた。源之丞の前に現れた鏡泉は洗面を終え、身仕度も調えていた。さすがに僧侶の修行を積んだ男であると源之丞は思った。早起きである。

「町方の役人が拙者を捕らえに参りました」

源之丞は荒い息をしたまま鏡泉に告げた。

「それで？」

鏡泉はつまらなそうに応えた。

「行くあてもないので、こうして伺いました」

「………」

鏡泉は黙って自分の御長屋に源之丞を連れて行ったが、屋敷に上がると、そっと腰高障子を開けて外の様子を窺った。

捕物装束の役人が屋敷前に並んでいた。みな、源之丞と同じで汗をかき、息を弾ませている。

「まずい。おぬし、つけられていたではないか。わしとおぬしが関わりあることを知られるのは何んとしてもまずい」

「しかし……」

「黙って捕られたらよかったのだ。さすれば、わしが後で何んとかしたものを」

「拙者が捕らえられたことを誰が鏡泉様にお伝えすることができましょうや」

源之丞は鏡泉に口を返した。

「髪結いがおるだろうが。おぬし、最近はちょくちょく、あの廻り髪結いと飯を喰うたり、酒を飲んだりしておろう」

「……」

鏡泉の口吻に嫉妬めいたものが感じられた。

それを聞かぬ振りで源之丞は切羽詰まった声を上げ、「お助け下さい、鏡泉様。源之丞、一生の頼みでございまする」と、鏡泉の袴の裾に縋った。

「駄目だ。この屋敷でおぬしを匿《かくま》うことはできぬ。即刻、立ち去れい！」

鏡泉は冷たく言い放った。源之丞は押し黙り、ついで背筋を伸ばした。

「大黒屋の一件、町方の者に話してもよろしいのでござるな？」

そう言った源之丞の顔を鏡泉はぎらりと睨んだ。

「おぬし、わしを脅す気か？」

「拙者は大黒屋殺しの廉で捕らえられようとしておるのですぞ。それを知らぬ顔はないではござらぬか」

「金をやる。少しの間、どこぞに隠れておれ」

「いや……」

源之丞は首を振った。「ここが一番、安全な場所でござる。大名屋敷には、町方の役人は入ることはできませぬゆえ」

憎悪に燃えた鏡泉の顔は源之丞がこれまで見たこともないほど美しかった。

鏡泉は短い舌打ちをして座敷に腰を下ろした。そして、いつものように煙草盆を引き寄せた。

「さあ、いかがなさる。お返事をお聞かせ願いたい」

源之丞は鏡泉を急かした。鏡泉はゆっくりと銀煙管に火を点けると白い煙を吐き出し
「近隣の者の様子もおかしいのだ。わしを見かけると、こそこそと噂話をして指差す。何かわしに対して不審を抱いているふしが感じられる」と、低い声で言った。

「お気のせいでございましょう」

「子供達まで異人だの毛唐だのと耳を塞ぎたくなるような雑言を吐く。今までこのようなことはなかった。わしはこの頃、よく眠られぬ。もしや、おぬしがあらぬ噂を流しておるものかと考えておった」

「滅相もござらん。拙者は誓ってそのようなことは」

「さようか。それを聞いて少し気持ちが落ち着いた。……二、三日、ここにいられよ」

源之丞は安堵の長い吐息をついた。

町方役人は、夕方になるまで屋敷前を取り巻いていたが、諦めたと見えて、やがて引き上げて行った。ほっと安心した源之丞は井戸で汗を拭い、その夜は夢も見ずに眠りこけた。

一日、二日、何事もなく刻は過ぎた。町方役人の姿もなかった。ほとぼりが冷めるま

で本多の屋敷に匿って貰い、その後は江戸から出る覚悟を源之丞はしていた。

しかし、三日目。鏡泉の許に池田駿河守《するがのかみ》からの呼び出し状が届けられた。駿河守は甲斐守の正室、徳姫《とくひめ》の兄に当たる。

鏡泉は甲斐守にその書状を見せて伺いを立てた。甲斐守は若君を世継ぎに据えた経緯を訊ねるつもりだろうと応えた。

甲斐守は言われた通り、駿河守の屋敷に出向き、うまく言い繕えと鏡泉に命じた。鏡泉は、駿河守の屋敷に出向く時、また廻り髪結いに頭をやって貰いたい様子だったが、源之丞が出歩けないので、それは諦めた。

しかし、駿河守の屋敷へは源之丞を伴うことを考えた。江戸から出奔する覚悟の源之丞ならば、その前に、うるさく仔細を問うて来る駿河守を亡き者にせよと命じても否とは言うまい。

源之丞はその申し出を受けた。本多家の中間が使用するお仕着せを纏っていれば、道中、町方役人でも手出しはしないだろうと踏んだ。

やがて、翌日の夕刻、池田家からの迎えの駕籠が来た。鏡泉は裃の正装に調えて駕籠に乗り込んだ。源之丞はその駕籠につき添った。

源之丞は町方役人の姿がないかと辺りに油断なく眼を配ったが、幸い、小石川近辺には、そのような者はいなかった。

駕籠は外濠沿いをゆっくりと進んだ。そしてもうすぐ神田橋御門というところで護持院ヶ原の中に入って行った。

「ん？」

源之丞は怪訝な眼を駕籠持ちに向けた。

「護持院ヶ原はまだ通れるのか？」

「へい。特別に今日だけ通れるようになっております」

駕籠持ちの一人は抑揚のない声で応えた。

「今日だけ？」

源之丞の胸を嫌やな気持ちがせり上がって来た。駕籠の中の鏡泉は何も応えない。

「おい、本当に池田様のお屋敷に向かっているんだろうな」

「へい……」

護持院ヶ原は去年のあの時のように松の樹が葉擦れを立てていた。辺りは微かに仄白い光を残しているが、もう半刻も経てば、濃い闇に包まれるだろう。駕籠は護持院ヶ原の真ん中あたりで止まった。

「ちょいと休憩を」

駕籠持ちはそんなことを言った。

「なに？」

源之丞が気色ばむ隙も与えず、駕籠持ちは脱兎のごとく彼方へ走り去った。

「おのれ、謀《はか》ったな」

源之丞は駕籠を背にして薄闇の中に眼を凝らした。唄うようなざわめきが聞こえた。いや、唄ではない。御用提灯をかざした町方役人が、はるか向こうに待機していた。

「うろたえるな、源之丞」

駕籠の中から鏡泉の声が聞こえた。

「し、しかし……」

町方役人は横一列の長い帯となって自分達に近づいて来ている。手甲《てっこう》、脚絆《きゃはん》、草鞋《わらじ》履き、鎖帷子《くさりかたびら》、一本刀の捕物装束である。後方に馬上の役人もいる。与力だろう。全体が黒い塊となっていると思いきや、途中から雪のように白い衣裳で現れた者がいた。あれは何んだろう。源之丞はその白い衣裳の男に眼をやった。

「おお！」

白い衣裳の男の輪郭がはっきりするにつれ、源之丞は驚きの声を上げた。まるで修験者のようだ。

観自在《かんじざい》菩《ぼ》薩《さつ》。行深般若波羅蜜多時《ぎょうじんはんにゃはらみったじ》。照見五蘊皆空《しょうけんごおんかいくう》。度《ど》一切苦厄《いっさいくやく》。

舎利子《しやりし》。色不異空《しきふいくう》。空不異色《くうふいしき》。
色即是空《しきそくぜくう》。空即是色《くうそくぜしき》。受想行識亦復如是《じゆそうぎようしきやくぶによぜ》。
…………

修験者が経を唱えている。役人の中にあって、それは異様に見えた。何故、そのような者が一緒にいるのだろうと源之丞は思った。

訳のわからない不安が源之丞を包んだ。

駕籠の戸が開き、源之丞は慌てて履物をその下に揃えた。鏡泉はゆっくりと足を通すと、修験者の方を向いた。その間にも修験者は、経を唱えながら近づいていた。

真実不虚《しんじつふこ》。故説般若波羅蜜多呪《こせつはんにやはらみったしゆ》。
即説呪曰《そくせつしゆわつ》。羯諦《ぎやてい》。羯諦《ぎやてい》。波羅羯諦《はらぎやてい》。
波羅僧羯諦《はらそうぎやてい》。菩提娑婆訶《ぼじそわか》。
般若心経《はんにやしんぎよう》

おそよ二間ほどに間合が詰まった時、修験者の足はようやく止まり、腰の刀を抜いた。

源之丞はその構えを見て、はっと胸を衝かれた。鏡心明智流、源之丞が修業した剣の流儀であった。しかも、その男はなかなかの腕と源之丞は見た。

「岸和田鏡泉、大黒屋殺しの主犯、並びに辻斬りの下手人を匿った廉で捕らえる。神妙にお縄になれ」

腹の底に響くような声が聞こえた。鏡泉は甲高い笑い声を立てた。

「何を血迷うておる。それがしは本多甲斐守の家臣であるぞ。町方の不浄役人の指図は受けぬ。これから池田駿河守の屋敷に参る途中である。邪魔立て致すと、おのおの方のためにならぬ」

「池田駿河守様は貴様など呼んでおらぬ。しかも、ただ今は閉鎖中の護持院ヶ原に無断で立ち入ったこと、上様のお耳に届いた暁にはどのようなお咎めがあるか知れたものではござらん」

修験者は澱みなく応えた。

「お手前の名をお聞かせ願いたい」

鏡泉は護持院ヶ原を吹く風に額の巻き毛を逆立てながら落ち着いた声で訊いた。

「拙者、北町奉行所定廻り同心、不破友之進と申す者」

修験者と見えた者は、やはり役人であったと源之丞は胸の中で独りごちた。

「ほう、して、おぬしは何故そのような恰好で現れた」

鏡泉は唇に冷笑を浮かべて続けた。男の恰好が鏡泉には滑稽に見えたらしい。

「なに、ほんの座興。幻術攻略にはこの恰好がふさわしいと考えた次第。お気になさらずともよい。拙者は何事も形から入る男ゆえ」

「笑止な」

鏡泉はそう言って、いつものこもった笑い声を洩らした。だが、不破と名乗る同心の、手首に巻いた数珠が乾いた音を立てると、鏡泉は笑いを消した。僧侶を志した鏡泉にとって数珠の意味は深い。邪念を払う仏具である。

同心はそれを知っているかのように首から下げた長い数珠も身体を動かす拍子に盛んに音をさせる。同心が締めている白い鉢巻きには写経したらしい折り畳んだ紙が挟んである。

それは源之丞の眼に、まるで小さな卒塔婆《そとば》のように見えた。

源之丞は鏡泉が僅かに怯《ひる》む様子を見せたのを感じた。源之丞は腰の一刀を抜き、同心の横から斬りつけた。源之丞の剣は呆気なく払われた。同心はかなりの手練《てだ》れであった。

「へなちょこが無駄なことをする。貴様の腕でおれは斬れぬ。よいか、鏡心明智流の奥義は強弱、曲直、進退の六つ。これを総じて位《くらい》と言うなり。位は稽古中心に磨かれるもの。辻斬りの下衆野郎に、位はすでに失われておる。また、免許の書状にはこうも書かれていた。敵の動静変化に移し間髪を容れず、とな。ご存じないか？　おお、ご無礼致した。おぬしは免許取りではなく、たかだか目録取りでござったな」

同心の言葉に源之丞は目まいがするほど怒りを覚えた。これほど自分を愚弄する者に、かつて源之丞は出会ったことがない。

「おのれ！」

源之丞はぎりぎりと歯噛みして再び一刀を構えた。

「源之丞、よせ。おぬしにこの男は斬れぬ。わしが相手をする」

「望むところだ」

同心は鏡泉に向き直った。その瞬間、風が逆巻くように吹きつけた。まるで野分《のわき》が来たかのように。源之丞はその風を避けたつもりだったが、眼の中に塵が入った。このような時に、余計なことで精神の集中を妨げられたくはない。しかし、眼をしばたたいても、擦っても塵は眼の中に入ったままだった。痛みに湧き出た涙で同心と鏡泉の姿が曇る。

後ろに控えている役人達は身じろぎもせず、二人のなりゆきを静観している。

黒雲が空を勢いよく流れる。その雲がみるみる形を変え、あろうことか龍となって空を走った。源之丞にとっても役人たちにとっても、生まれて初めて見る景色である。それが幻術という、あやかしの技だと知っていても源之丞は度肝を抜かれた。

「子供騙しをする。龍などこの世におらぬ」

同心は意に介したふうもない。鏡泉の後方から地鳴りが聞こえた。源之丞がそちらに眼をやると、猪、野豚、いや、訳のわからぬ獣が疾走して来た。獣の荒い息づかいと嫌やな匂いが辺りに漂う。獣は同心の周りをくるくると走った。

「まるで東両国の見世物だの。ついでだ、ろくろっ首や人魚も出して見せよ」

同心はそれでも気丈に応えた。龍が首を俯《うつむ》け、赤い舌を見せて同心の頭を今しも喰らい込む様子を見せる。松の根方の一つから饅頭笠の荷物を担いだ商人がぴょんと飛び出て宙に浮かび、うすら笑いを浮かべる。その商人は源之丞が斬った男だ。枯れて落ちた松葉が、無数の虫となって同心に向かう。足許から這い上がる。

同心はそれでも微動だにしなかった。

護持院ヶ原はまるで魑魅魍魎の住みかと化していた。龍が突然、首を翻すと、今度は尻尾で同心の首を襲う。先細りの尻尾が同心の首を締める。硬い鱗で覆われた龍の尻尾は輪郭を星のようにきらきらと輝かせている。同心は苦痛に顔を歪めた。鏡泉はしてやったりの会心の笑みを洩らした。

「日那、こいつはうつつのことじゃねェ。皆、鏡泉の幻だ。臆するところは一つもありやせんぜ」

聞き慣れた男の声が同心に向かって叫んだ。

役人達の前に一歩進んだ男、それは髪結いの伊三次。おのれ、奴は犬だったのかと思う暇もなく、「南無三！」吠えた同心の剣が鏡泉の首を刎ねた。首は毬のように宙に舞い上がり、饅頭笠の商人の横に並んで不敵に笑った。

だが、鏡泉の幻術はそこまでだった。

龍がしぼんだ。獣がしぼんだ。同心の身体を半分以上も覆っていた黒い虫が、ばらばらと地面にこぼれた。あっという間のでき事だった。

気がつけば、護持院ヶ原はもとの松の葉擦れがさわさわと聞こえる、だだ広い野原に戻っていた。同心の足許に首のない鏡泉の身体があった。首は……少し離れた松の根方でこちらを向いている。まるで地面から首だけ生えたようだ。恐らく、あそこが斬った商人を埋めた場所なのだろう。源之丞はぼんやり思った。

踵を返した同心が源之丞を見た。

「神妙にお縄になれ」

そうさせてなるものか。この場を逃げてやる。どこまでも逃げてやる。源之丞は唇を噛み締めた。眼が痛い。塵は入ったままだ。もう優しく舐め取ってくれる鏡泉はいない。本当に鏡泉は死んだのだろうか。いやいや、鏡泉が死ぬことなど考えられぬ。町方の不浄役人にむざむざ、あの鏡泉が敗れるはずがない。

源之丞はそう考えると己れを奮い立たせて同心に立ち向かった。同心の剣は刃こぼれ一つなく銀色に輝いている。剣さえよければ、この眼さえまともであれば、源之丞は詮のないことばかりを考えた。

源之丞は同心に体勢を崩されて後ろ向きになった。慌てて前を向こうとした時、背中に焼けるような痛みを覚えた。同心が自分の背中を袈裟掛けに斬ったのだろう。

源之丞は背中の痛みを堪えながら、かつて自分が袈裟掛けに斬った者達の恐怖を初めて実感したのだった。

七

岸和田鏡泉の亡骸は本多の屋敷に引き取られた。何か異議が申し立てられるかと北町奉行、小田切土佐守は身構えていたが、幸いそのような様子はなかった。秋津源之丞は背中の傷が治り次第、お白州で吟味を受ける。恐らくは死罪であろう。

不破友之進はあれから腑抜けになった。お奉行から格別の働きありと褒美があり、池田駿河守からも過分な祝儀が届けられたというのに。

江戸は師走に入った。そのせいか何やら町の様子が気忙《きぜわ》しく感じられる。

京橋の自身番には岡っ引きの留蔵、弥八、伊三次が顔を揃えていた。不破は奉行所の申し送りを済ませると中間の松助と一緒に自身番に顔を出したが、すぐに疲れたと言って八丁堀の組屋敷に戻ってしまった。

「やっぱ、相当、旦那もこたえたんでしょうね」

弥八は不破のことを気遣って言った。

「護持院ヶ原の景色は……ありゃあ、まさしく地獄だったなあ」

留蔵はしみじみした口調で呟いた。

「辻斬りの下手人は上がったたし、江戸橋の葉茶屋の番頭のおろくも見つかったし、まあ、今年の気掛かりはあらかた片付いたというものだ」

弥八は晴れ晴れした表情である。源之丞を先に捕らえる事には失敗したが、結果的には一件落着となった。

「兄ィ、何考えているんだよ。ずっと、だんまりを決め込んじまってよう」

弥八は火鉢の傍で膝を抱えて座っている伊三次に声を掛けた。

「いや……」

伊三次の表情も不破と同じで何んとなく浮かない。

「もうすぐ正月だっていうのに、そんなしょぼくれた面ァしてて、いいんですかい？」

「おきゃあがれ。こちとら手前ェのような極楽とんぼじゃねェわ。そうそうすぐにゃ、気持ちは元通りになるもんか」

「そいじゃ兄ィは、まだ護持院ヶ原のことに拘《こだわ》ってるんで？」

「鏡泉という男のことがどうにも頭を離れねェ。夢にまで出て来て、くわっと口を開けて、おれを喰おうとする」

「こいつァ……」

弥八が気の毒そうに伊三次を見た。

「おれでこうだから、不破の旦那はどれほど怖い目に遭っていなさるかと思うぜ」

「大丈夫ですよ。不破の旦那はそんなヤワなお人じゃねェ」

弥八は伊三次を励ますように言った。

「だけど、どうしたら鏡泉みてェな人間ができ上がるんだろうな。おれは不思議でたまらねェ」

伊三次は自身番の低い天井を見上げて言った。

「赤ん坊の頃、親に捨てられたそうだ。寺の坊主が親身になって育てたが、あの顔だ。城の殿様に目をつけられて色子にされて……思えば気の毒な野郎だよ。そういうことが重なれば、どんなまともな奴もまともでなくなる」

留蔵の言葉に弥八と伊三次はつかの間、黙った。留蔵は観念した源之丞から鏡泉の生い立ちを聞いたのだ。

「だけどよ、あの龍、豪勢なもんだったな。おいら、初めて見た」

弥八は昂った声で言った。伊三次は苦笑した。

「誰だって初めてだい。鏡泉の心があんな幻を見せるんだからてェしたもんだ。人間は何んでもできるんだなって、おれァ、しみじみ思ったぜ」

「まるで今しも不破の旦那の頭をぱっくり喰っちまうようで、おれも思わず眼を瞑っちまった」

留蔵が言い添えた。

「本当にやっちまわなかったのは、不破の旦那の恰好に怖じ気をふるったということなんだろうか」

伊三次はまだ腑に落ちなくて、そんなことを言う。

「今更、何を言うんだよう、兄ィ。こいつはうつつのことじゃねェ、皆んな幻だって豪気に旦那へ吠えたくせに」

弥八はさもおかしそうに言った。

自身番の外から正月物の物売りの声がかまびすしく聞こえている。

「どれ、稼ぎに行くか」

伊三次は重い腰を上げた。やれやれ今年もこれで終わるのかと思った。年を取るごとに一年一年が早く過ぎるような気がした。

吐息をついて自身番の外に出た時、珍しく晴れ上がった空が眼の上に拡がっていた。ふんわりと真綿のような雲が漂っている。

陽の光に眼を細めた瞬間、雲の陰から何かが光った。それはどうしても、護持院ヶ原で見た巨大な龍の尻尾に思えてならない。鏡泉の幻術はまだ続いているのだろうか。戦慄が背中をつかの間走ったが、伊三次は一つ空咳をすると、得意先へ向かうため足早に歩き出していた。

さらば深川

一

年が明け、松が取れてから江戸に一尺ほどの雪が降った。

冷え込みは、そうきつくもなかったが、周りはどこもここも白いもので覆われ、見慣れた景色が違って見えた。

深川芸者のお文《ぶん》にお座敷が掛かったのは、そんな雪の日のことである。お文は深川八幡前の料理茶屋「宝来屋《ほうらいや》」に出向く時、久しく出番のなかった雪下駄に足を通した。通りは人の往来があるせいで土の色も見えたが、両端は掻き寄せられた雪がこんもりと小山を作っている。

「姉さん、足許に気をつけて」

女中のおこなは三味線を抱えてお文の後を歩きながら、そんな言葉を掛ける。

「あい、わかっているよ」

慣れない雪下駄は確かに歩き難い。お文はいつもよりゆっくりと足を運んだ。おこなはお文に気を遣うあまり、自分のことは、なおざりになったようで、八幡前の大通りに出た時、派手に滑って転んだ。

「何んだねえ、足許に気をつけるのはお前ェの方じゃないか。大丈夫かえ？　怪我はしなかったかえ？」

お文は褄《つま》を取っていない右手をおこなに伸ばした。おこなは三味線を後生大事に抱えていたものだから、その三味線が仇になって平衡を失ったらしい。

「ああ、痛い……」

おこなはお文の腕に摑まって起き上がると大袈裟に呻《うめ》いた。

「もう、正月早々、ろくなことが起こりゃしない。姉さん、今年はいいことなんざありませんよ」

おこなは決めつけるように言った。

「お前ェが転んだくらいで今年の運が回って来ないじゃ、いっそ迷惑というものだ。妙なことはお言いでないよ」

お文はぴしりとおこなを制した。向き直って歩き出しながら、しかし、お文は少し不安な気持ちにもなった。今夜のお座敷を掛けてくれた客は伊勢屋忠兵衛である。材木の仲買人をしている男で、仲間内では「伊勢忠《いせちゅう》」と呼ばれて辣腕の商売人として評判が高い。お文はかつて忠兵衛の父親の世話になっていたことがあった。その縁で忠兵衛は今でも何かとお文を引き立ててくれる。ありがたいと思う一方、忠兵衛の気持ちを煩わしく思うこともあった。忠兵衛は、お文に思いを寄せていたからだ。おこなの不用意な言葉が、その時のお文の耳にしばらく残った。

忠兵衛はお文と伊三次の関係を知っていた。これまで、あからさまに邪魔をすることはなかったというものの、心の内では伊三次を貶《おとし》めているふうがあった。廻り髪結いの男と一緒になったところでどうなるものでもないと。

それはお文もようくわかっていることである。どんなに惚れ合っていても、所帯を構え、夫婦となった暁には、また別の事情が生まれるというものだ。身の周りの世話をするために女中を置くことなどとんでもない。伊三次と所帯を持てば深川芸者の文吉《ぶんきち》ではなく髪結床のお内儀である。客に愛想を振り撒き、飯の仕度やら洗濯やら、掃除やらを一人でこなさなければならないのだ。それを抜かりなくやる自信は正直、今のお文にはなかった。それでも、そうなったらそうなった時、どうにでもなるさ、とお文は思っている。

忠兵衛は暮に女房を亡くしていた。元々、身体の丈夫な人ではなかったが、一人娘のおいちを産んでから、産後の肥立ちもよくなく、ずっと寝たり起きたりの生活であったらしい。昨年の秋口に風邪を引き込み、急に具合を悪くしたという。師走に入って危篤状態に陥り、八方手を尽くしたのだが、とうとう大晦日も近い頃にいけなくなってしまった。

お文は葬式に行かなかったが、おこなに香典を届けさせた。忠兵衛は暮も正月もない日を送ったことだろう。新年恒例の材木組合の寄合にも顔を見せていなかった。ようやく葬式の慌ただしさも区切りがついて、忠兵衛は宝来屋に揚がる気持ちになったようだ。

悔やみを述べて、せめてひと晩、気晴らしになるように相手をしてやらねばと思う一方、お文は忠兵衛の顔を間近に見るのが気詰まりでもあった。

宝来屋の暖簾を潜ると、お内儀のおなみは笑顔でお文を迎えた。

「さあさ、急いでおくれ。伊勢屋の旦那はもうお着きだからね」

約束した時刻より、よほど早い。お文は履物を外して上がると、着物の裾を下ろした。喪に服している忠兵衛を気遣い、お文は藤色の無地の着物に、久しぶりに黒紋付の羽織を重ねていた。その恰好は、おなみの気に入ったようだ。

「ああ、きれえ。今夜の文吉姐さんは格別だよ。伊勢屋の旦那はさぞお喜びになることだろう。おこなちゃん、内所《ないしよ》でお休みよ」

おなみはおこなにも気軽な声を掛けた。おこなは嬉しそうに、にッと笑った。

「姉さん、お座敷が終わるまで待っていた方がいいですよね？」

おこなはおなみの手前、すばやくお文の耳許に囁いた。忠兵衛がお文の苦手な客であることは心得ている。お文は、こくりと肯《うなず》いた。

「お内所じゃ、行儀よくするんだよ。用もないのに板場に顔を出すんじゃないよ」

お文はおこなに念を押した。おこなは男達に無駄な愛想をする癖がある。お文はそれを心配していた。

「わかっているよ。なに、顔を出すと言っても年始の挨拶ぐらいだ」

「いらないよ、そんなこと」

「いいじゃないか、姉さん。あたいのことを待っている板前さんは多いのさ」

「おこな！」

お文は癇《かん》を立てる。

「これこれ、正月早々、高い声を上げて……おこなちゃんのことはいいからさ。お前さんは早く伊勢屋の旦那の所に行っておくれ。二階の萩の間だからね」

おなみは二人の間に割って入り、お文を急《せ》かした。

「あい……」

お文は、きゅっとおこなを睨むと二階に通じる階段をゆっくりと上って行った。

萩の間は二階の奥にある座敷である。廊下の突き当たりの壁に火灯窓《かとうまど》が切ってあり、雪のせいなのか、やけに白々とした光が廊下に射していた。

「文吉でござんす」

お文は襖《ふすま》の前に膝を折って中に声を掛けた。

「お入り」

低い返答があった。お文は襖を静かに開けると、その場で丁寧に三つ指を突いた。

「今夜はお声を掛けていただきましてありがとう存じます」

「中にお入り。隙間風が入ってかなわない」

お文は座敷の中ににじり入って襖を閉めた。

「旦那、この度は急なことでご愁傷様でございます。わっちは何んと申し上げてよいのか……」

お文は忠兵衛に向き直って悔やみを述べた。

「ありがとうよ。気にして貰っただけでも嬉しいよ。まあ、あいつもこれが寿命だったのだろう」

忠兵衛の前に蝶足膳《ちょうあしぜん》が運ばれていて、そこにはおなみの心尽しの正月料理が並んでいた。

お文はさっそく銚子を取り上げて忠兵衛に酌をした。忠兵衛は地味な鼠色の鮫小紋の着物に対《つい》の羽織を重ねていた。心なしかその顔が小さくなったようにも見える。

「風邪でいけなくなるなんざ、怖いものでございますね」

お文は忠兵衛の女房のことをおなみから聞いていたので、そう言った。

「たかが風邪と言っても馬鹿にはできない。特にうちの奴のように身体が弱っている者は、あっという間に持って行かれてしまう。あんたもよくよく気をつけることだ」

「あい。わっちは気随《きずい》気儘《きまま》の暮しをしている女で、ろくに自分の身体に気を遣うこともなかったんでござんすよ。でも、お内儀さんのことをお聞きして、これは他人事ではないと思いました」

忠兵衛は盃洗《はいせん》に盃を浸すとお文に差し出した。

「あんたも一献。精進落としだよ」

「畏れ入ります」

座敷の隅に置いた瀬戸火鉢のせいで、ぼんやり温《ぬく》もりが感じられた。忠兵衛はろくに料理に箸をつけた様子もない。お文は盛んに食べろと勧めた。

「これからはお内儀さんの分まで頑張って貰わなければなりませんからね」

お文は忠兵衛を励ますようにそう言った。

「おいちはお前さんに会いたがっていたよ」

「まあ……」

昨年の春にお文は少しの間、忠兵衛の娘の面倒を見た。おいちという娘はお文になついてくれた。お文を忘れていない様子が嬉しかった。

「ぶんぶんが新しいおっ母さんになってくれたらいいなんて言っていたよ」

お文は何んと応えてよいかわからず、しばらく口ごもった。おいちはお文のことを、ぶんぶんと渾名《あだな》で呼んでくれたのだ。

「わたしも同じ気持ちだ」

「でも、旦那……」

「わかっているよ、お前さんの気持ちは。だが、以前と事情がすっかり変わってしまった。わたしはあんたを囲い者にしようというんじゃない。正式に女房として迎えたいんだ」

忠兵衛はきっぱりと言って、お文をまじまじと見つめた。

「お内儀さんの四十九日も済まない内にそんな話をなさるんですか。それじゃ、あまりに薄情というものですよ」

「四十九日が過ぎたらいいのかい?」

忠兵衛は怯《ひる》まない。お文は再び言葉を失った。しばらく居心地の悪い沈黙が続いた。

「人が聞いたら結構ずくめのお話でござんしょうね。年増の芸者に誂えたように後添えの口があるなんざ……」

お文は他人事のように口を開いた。

「わたしは前々からあんたに言っているはずだ。あんたに髪結床の女房は勤まらないってね。あんたは台所の仕事も縫い物も、まして洗濯なんざ似合わない。あんたはお内儀さん、ご新造さんと人から持ち上げられる立場でなければ町家の暮しはできないよ」

お文は昨年の春のことを思い出していた。向島にある忠兵衛の寮に移り、しばらくそこで暮していたことである。忠兵衛はその間にお文の家の手直しをしてくれ、着物も帯も簪も新しい物を誂えてくれた。お文はそのことを、さして深くは考えなかった。自分に岡惚れしている客に少しぐらい金を遣わせても悪くはないとさえ思っていた。卑しい芸者根性だったと今では思う。

それが原因で伊三次とはしばらく疎遠になった。もう伊三次とは、これきりと覚悟を決めたことだったが、ひょんなことから縒《よ》りが戻った時、お文は心から安堵した。世の中、金じゃないと豪気に吠える男は、たかが廻りの髪結い。しかし、お文は伊三次と二度と離れたくないと心に決めた。もう、忠兵衛の言葉に揺れることはなかった。

「わっちが旦那の女房に収まったとしても、わっちは伊三さんとは切れませんよ。それでもよろしいんですか？」

忠兵衛の顔色が変わった。

「どこまでわたしを虚仮《こけ》にするつもりだ」

怒気を孕《はら》んだ声が聞こえた。お文はそれを笑顔で躱して「旦那、察しの悪い。わっちの答えは最初から決まっていることなんですよ」と静かに言った。

「どうでもあの男でなければいけないということか……」

「わっちは自分の気持ちがわかっています。後生ですから、もうわっちのことは、うっちゃっといて下さいな。たとい、この先、何が起ころうと、それはわっちが決めたこと。誰でもない、わっちが一人で決めたこと。後悔はしませんのさ」

「それほど惚れているのか」

「さて、それを旦那に答えなきゃならない義理はありませんよ」

お文は、にべもなく言った。忠兵衛の握り締めた拳は怒りでぶるぶると震えていた。愛想尽かしをするつもりはなかったが、忠兵衛という男はそこまで言わなければわからない男だとお文は思った。

がたん、と忠兵衛の膝が膳とぶつかった。

忠兵衛はお文の肩を摑んで無理やり畳に押し倒した。あっと思う間もなく、酒臭い息がお文の顔に掛かった。

お文は抗《あらが》ったが忠兵衛の力は強かった。足をばたつかせたためにお文の着物の裾が乱れた。あろうことか、そこに忠兵衛の手が伸びた。お文はこれ以上ないほど厭《いと》わしさを覚えた。

性急に事を急ぐ忠兵衛の股間をお文は思わず蹴った。忠兵衛は、うっと呻いて手を離すと苦しそうに蹲《うずくま》った。その隙にお文は座敷を飛び出し、階段を転げるように駆け下りていた。

「おこな、帰るよ」

お文は内所の襖を開けるなり興奮した声を上げた。お茶を飲んでいたおこなとおなみは驚いて眼を大きく見開いた。

「姉さん、どうしたの？」

おこなはすぐに立ち上がってお文の傍に寄って来た。お文の髷《まげ》はぐずぐずになり、着物はすっかり着崩れていた。

「お内儀さん、わっちは正月早々、ひどい目に遭うところでしたよ。今後、伊勢屋さんのお座敷は一切、ご免被りますよ」

おなみはお文がそれだけ言うと事情を納得したようで短い舌打ちをした。

「全く、伊勢屋の旦那は何を焦っていたものか……安心おし、あたしが迷惑料をふんだくってやるから」

おなみは、すぐに銭勘定でものごとを解決しようとする。お文はそれにもうんざりだった。

「わっちはもう、たくさんなんですよ」

お文は悲鳴のような声を上げた。

二

お文の家に伊勢忠の奉公人が銭の取り立てに訪れたのは宝来屋のお座敷があってから少し経った頃である。

催促額の百五十両に、もちろんお文はどんと跳びはねる気持ちにさせられた。

「何かの間違いじゃございませんか？　わっちは伊勢屋さんに借金している覚えはありませんが」

お文は冷静を装って、その奉公人に言った。

屋号の入っている半纏は確かに伊勢屋のもので、それに間違いはなかったが、お文はその奉公人の顔に覚えがなかった。年の頃、三十二、三の男は痩せて浅黒い顔をしている。

きびきびした物言いは格別、不審な様子もなかった。

「昨年の春に、この家をご改築なさっておりますね？　その材料代と大工の手間賃、それに別口で益子《ましこ》屋さんの着物と帯。糸惣《いとそう》さんで誂えた櫛、笄《こうがい》の代金を立て替えております。ご請求はそれを含んだすべてでございます」

「……」

お文はあまりのことに言葉を失った。午前中の朝寝からようやく覚めたばかりの時である。お文はまだ、頭がぼんやりして訳がわからないところがあった。しかし、すぐに宝来屋での忠兵衛のことが思い出された。こう出てきたかと。

「ちょいと、兄さん」

おこなが台所から出て来て男に声を掛けた。

「あんた、何か勘違いしていない？　家の直しも着物も帯も、それは伊勢屋の旦那の御《お》祝儀《はな》なんだよ」

「家の直しが御祝儀ですか？　それは手前どもも聞いたことがないお話でございます。いえ、誰にお訊ねになったところで、そんなお話は笑われるのが落ちでございますよ」

男はあっさりとおこなの話を躱した。

「このことを、伊勢屋の旦那はご存じなのかえ？」

お文はようやく低い声で口を開いた。

「もちろんでございます」

「そいじゃ、わっちが旦那に恥をかかせた話もお前さんは承知なのだね？」

「……」

男の顔に僅かに躊躇するものが見えた。

「いえ、それは存じません」

男は取り繕うように慌てて言い添えた。

「お前さんがおっしゃるように、旦那はこの家の手直しも、着物のことも引き受けて下さいましたよ。でも、その時、お金のことは一切、なしでしたよ。今頃になって勘定書きを突きつけるのは腑に落ちない話だ。それは先日、宝来屋さんで、わっちが旦那に恥をかかせたことと関係があるのだろうと思いましたのさ」

「お客様と旦那様の間にどういう経緯《いきさつ》があったのかは存じませんが、手前ども商売でございますので、払うものは払っていただきます」

「払えない時は？」

お文は男の顔をまっすぐに見て訊いた。

「その時は代わりの物でいただきたいと思います」

「代わりの物なんざありゃしない。わっちはこの通り、細腕一本で芸者稼業をしている女でござんすからね、蓄えもろくにありませんのさ」

「庭つきの家が肩代わりしてくれますよ」

男は意に介するふうもなく続けた。お文の胸を寒いものが一瞬、通り過ぎた。

「もともと、ここは先代の持ち物でもありましたので……」

男の視線が家の中のあちこちに無遠慮に注がれた。

「そこまで根回しができているなら仕方もない。だが、この話をお前さんとするつもりはありませんよ。旦那と直接するとおっしゃって下さいましな。その時はわっち一人じゃ心許ないので、茶屋のお内儀さんと、町内の町年寄さんにも入って貰うつもりですから」

「さてさて、困りましたねえ。旦那様は仕事が忙しくて、とてもそんな暇はないとおっしゃられたので、こうして手前が参上した次第で」

「それじゃ、旦那が本当に指図したことなのかどうかも、わからない。その書き付け、居所は何もないじゃないか。ひと口に伊勢屋と言っても江戸には嫌やというほどあるのだよ。どこの伊勢屋か見当もつきゃしない。悪いがこのお話、聞かなかったことに致しますよ。あい、ご苦労様」

お文はそれだけ言って茶の間に引っ込んだ。男はしばらく突っ立ったままだったが、やがて短い舌打ちをして外に出て行った。

「姉さん、怖い」

おこなはお文の傍に寄ると震えた声で言った。

「いい加減な話をしてさ」

お文は火箸で灰をざくざく突き立てると怒気を含ませた声で言った。しかし、家の手直しはともかく、着物や小間物の掛かりまで男が知っていたことが納得できない。

やはり忠兵衛があの男に内々で命じたことなのだろうか。様々な憶測がその日一日、お文を悩ました。

そんなことがあったなど、伊三次は知らなかった。

伊三次は三日にお文の所に顔を出したきりで、正月早々から日本橋で起きた事件に振り回されていた。小さな小間物屋を商う年寄りの夫婦が騙《かた》りに遭《あ》ったのである。店が古くなっていたところへ、材木問屋の番頭という男が現れ、熱心に改築を勧めた。師走の始めのことだった。

夫婦は老い先短いことから、最初はそんな気もなかったのだが、番頭は三日と空けずにやって来た。材木が安く入るということを盛んに強調した。実際、番頭の出した見積りは相場の半値に近かった。何んでも新築の話が壊れたので、そこで使うはずだった材木を融通できるとのこと。その金額ならば夫婦の今後の暮しにさして影響があるとは思えない。

夫婦は相談の上、店を改築することを決心した。急ぎ働きで仕上げるから新年は新しい店で迎えることができるだろうと番頭は言ったそうだ。夫婦は手付金の五十両を番頭に渡した。

翌日には大八車が店前に角材の二、三本を運んで来た。しかし、それだけで後は何んの音沙汰もない。番頭もふっつりと姿を現さなくなった。不安になった夫婦は嫁に行っている娘にこのことを伝えた。娘は慌てて夫婦から受け取りの書き付けを見せて貰ったが、屋号は伊勢屋と入っているものの、居所は入っていない。これは騙りに遭ったに違いないと自身番に訴え出たのである。

「小金を持っている年寄りを狙うなんざ、やり方が汚ねェ」

北町奉行所の定廻り同心、不破友之進はいまいましそうに吐き捨てた。

京橋の自身番には土地の岡っ引きの留蔵、その子分の弥八、髪結いの伊三次が顔を揃えていた。

「伊勢屋なんざ、どこにでもあるような屋号を使ったところが小憎らしいですね。伊勢屋、稲荷に犬の糞って、この江戸にはごまんとありまさァ」

留蔵は自身番の火鉢の灰を掻き立てながら言う。五徳《ごとく》の上の鉄瓶がしゅんしゅんと松風の音を立てている。留蔵は急須を引き寄せ、人数分の茶を淹《い》れるところだった。

「ですが、実際に角材の何本かを置いて行ったというのが解せませんね。まあ、客を安心させて時間稼ぎをする魂胆だったでしょうが」

　伊三次は留蔵の手許を見ながら言った。

「その角材の出所《でどこ》を捜す必要があるのだが、大量ならともかく、二、三本ときてはの……」

不破がそう言うと留蔵はすかさず「三本でさァ」と正確な数を応えた。

「価にしてどれぐらいになるのかのう」

不破は伊三次の方を向いて訊いた。

「せいぜいが二分というところでしょう。ものが檜《ひのき》となればまた別でしょうが。手付けを五十両も打っているんですから話にもなりやせんよ」

父親が大工だった伊三次は材木の値段に少し詳しい。

「えり半《はん》の夫婦はとんでもねェ正月になったもんだ」

留蔵は気の毒そうに言って、湯呑を配った。

えり半は小間物屋の店の名である。

「しかし、鍵はその角材の出所しかないとなれば、これは材木屋を当たるしかないだろうの」

不破は吐息をついた。

「あすこの夫婦の話じゃ、番頭と名乗る男はやけに詳しい話をしていたそうですぜ。こいつは材木屋に奉公していた野郎ということにもなりやせんか？」

弥八が珍しく勘のいいところを見せた。

「うむ。その線も考えられる」

不破は髭の剃り痕が青い顎を撫でて肯いた。

渋茶を喉を鳴らしてひと口飲むと「おれは留と一緒に近くの材木商を当たる。伊三、手前ェは深川に行って増蔵と木場の材木問屋を当たれ」と伊三次に命じた。増蔵は深川の門前仲町界隈を縄張にする岡っ引きである。

「承知致しやした」

伊三次は応えると、急いで湯呑の中身を飲み干して腰を上げた。

外に出ると、降った雪はあらかた解けていて、町家の庭に植わっている松の枝から糸のような雫が垂れている。風はさほど強くなかったが伊三次の首筋をぞくりとさせるほど冷たい。伊三次は商売道具の入っている台箱を持ち直し、綿入れの襟をきつく掻き合わせて舟着場に急いだ。

深川の木場には材木問屋が軒を連ねている。

増蔵と二人で何軒か当たって見たが、要領を得なかった。大店の材木問屋は、角材三本ほどの小口の商売はしない。小売りの店に行けと、すげなく追い払われた。

言われた通り、今度は小売りの店に行ったが、暮も押し迫ってからの注文に、該当する物はなかった。

「後は……」

増蔵は五軒目の小売りの店から出ると、道端に立ち止まって独り言のように呟いた。

「冬木町の伊勢忠の所に寄ってみるか」

増蔵は伊三次の顔を見ずに続けた。伊勢忠と聞いて伊三次の胸はこつん、と堅くなった。

お文に岡惚れしている仲買人だと知っていた。

「お前ェも一緒に行くかい？」

「へい」

「気が進まねェようなら、おれ一人で行ってもいいんだぜ」

増蔵は伊三次に気を遣ってそんなことを言う。

「いえ、こいつは旦那の御用ですから、余計な気は遣わねェでおくんなさい」

「そうかい……」

増蔵は応えると「伊勢忠は暮にかみさんを亡くしている。こいつは知っていたかい？」

と続けた。

「いいえ、知りやせんでした」

「今まではかみさんの手前、遠慮することもあっただろうが、これからはちょいと難儀なことになりそうだぜ」

「……」

増蔵は忠兵衛がお文に対して誘惑の手を伸ばして来るのでは、と心配するような口ぶりだった。

「言うことを聞かなければ蛤町の家を取り上げると脅しを掛けたこともあったそうです」

伊三次は足許に視線を落としながら言った。

「だが、あすこは伊勢忠のてて親が文吉に建ててやったもんだろう？　今更、取り上げるような汚ねェ真似はしねェだろう。家の権利は文吉の物になっているだろうし」

「だけど、増さん。去年の春の改築はどうなります？　結構、銭が掛かっていると思いやすが」

「そうだなあ……」

「あの掛かりを払えと催促されりゃ、嫌やとは言えねェんじゃねェですか？」

「お前ェが肩代わりしてやったらいいんだ」

「……」

あっさり応えた増蔵に伊三次はつかの間、言葉を失った。

「まあ、また床《とこ》を構えるのは遅くなるが……」

「本気で言ってるんですかい？」

伊三次は真顔で増蔵を見た。

「伊三次。銭がねェ、ねェと言うのも考えもんだぜ。時にはある振りだってしなきゃならねェ。嘘でもおれに任せろと文吉に言ってやんな」

「増さんは簡単に言うが、おれァ、嘘は苦手な口で……」

「おきゃあがれ。いい年した男が小娘みてェな台詞を吐くんじゃねェよ」

増蔵は伊三次の優柔不断な態度に苛々した様子で言葉を荒らげた。

三

冬木町の伊勢屋は軒上の金看板に「材木仲買商・伊勢屋忠兵衛」とあるものの、店の構えはさほど大きくなく、品物の材木も数えるほどしか目につかなかった。材木の仲買というのは問屋と小売りの店の間に位置する店である。大口の商いが出た時は問屋に出向いて品物を揃える。自分の店に大量の品物を保管する必要がない。考えようによっては中途半端な商売でもあるので、何より主と店の信用が第一だった。幸い、伊勢屋は先代の頃から深川では指折りの店として評判が高かった。

増蔵の後ろから伊三次が伊勢屋に入って行くと、店の屋号の入った印半纏を羽織った番頭らしいのが大福帳を片手に持ったまま、こちらを向き「これはこれは仲町の親分。お務めご苦労様でございます」と如才ない言葉を掛けた。

番頭は五十絡みの男で主の忠兵衛より年上と見た。恐らく、先代の頃から店に奉公している者だろうと伊三次は思った。

「今日はちょいと聞きてェことがあってな」

増蔵は店の中をすばやく見回して言った。

「うちの店に何か不都合なことでもありましたでしょうか」

番頭は不安そうな表情になり、大福帳を閉じると増蔵と伊三次を店座敷の隅に促し、若い奉公人を振り返って茶の用意を言いつけた。

増蔵はゆっくりと腰を下した。伊三次は傍に寄り添うように立った。

「いいや、お前さんの店がどうこうしたということじゃねェ。暮にな、角材の三本ほどを注文した客はいねェかどうか訊ねて歩いているところだ。木場の問屋を当たって見たが、角《かく》の三本ほどをちまちま売るような、けちな商売はしねェとほざかれた」

増蔵は冗談に紛らわせて話をした。

「さようでございますねえ。小口の注文は大抵、小売りの店に行くもので、須原屋《すはらや》さんあたりは、よほどのことがない限り、受けてはくれませんよ。何しろ商いの規模が違います」

番頭は訳知り顔で応えた。須原屋は木場で一番大きな材木問屋の名であった。

「ところが、その小売りの店にもそんな注文をした者はいなかった。そいで、ちょいとお前ェさんの所にも聞いてみようという気になってな」

「はてさて、角材の三本ばかりは、わたしも覚えがありませんが……」

番頭は大福帳の所に戻り、せわしなく頁を捲《めく》った。

「藤助《とうすけ》の兄さんが持って行った物じゃないですか？　でも兄さんは角ばかりじゃなくて、垂木《たるき》と野地板《のじいた》も持って行きましたよ」

茶を運んで来た二十歳ほどの若い者が口を挟んだ。

「藤助というのは誰でェ」

増蔵が畳み掛けるように訊くと番頭は短いため息をついた。

「うちの店で働いていた手代ですよ。腕はよかったんですが、何しろ危ない話ばかりに手を出すものでね、そのために損をしたことも二度や三度じゃございません。それで旦那様が独立を勧めたんでございますよ。まあ、旦那様としては厄介払いを決め込んだものでしょう。時々、うちの店に参りまして品物を運んで行きますが、前々からの約束で掛けはしない、現金払いということで納得させております」

「危ねェ話に手を出すたァ、どういうことだ？」

増蔵は番頭の顔をぎらりと睨んで訊いた。

「賭博の胴元だとか、急に小金を持った成り上がり者の家の話なんです。うまく行けば儲けは太いんでございますが、何しろ一、二度うまく行ったぐらいで、後は損をする一方でございました」

「なるほどな。藤助という男は山師っ気があるんだろう」

「さようでございます。旦那様が口を酸っぱく叱っても、ちっとも言うことを聞きませんでした。ですから……」

「その藤助はどこに住んでいるんだ？」

増蔵がそう言うと番頭は帳簿付けを始めた手代の方を向いて「吾助《ごすけ》、藤助の居所は今、どこだい？」と訊いた。

「さあ……前は冬木町の寺裏に住んでおりましたが」

「今は？」

「はっきりわかりません」

増蔵はふっと伊三次を見た。何か臭うとその顔が言っていた。

「居所をはっきり聞いて置かなきゃ困ることになるよ」

番頭は眉間に皺を寄せて言った。

「相川町の方にいると聞いたことがあります」

別の手代らしいのが口を挟んだ。

「相川町のどの辺よ？」

増蔵は応えた手代に話を急かした。

「お寺の裏だと言っておりました」

「正源寺だな」

深川の地理には熟知している増蔵は、すぐに合点のいった顔で肯いた。

「邪魔したな。また話を聞きに来るかも知れねェ。今度、その藤助が来た時は、ちゃんと持って行った品物を確かめて置いてくんな」

増蔵は念を押すように番頭に言った。

増蔵と店を出る時、伊三次は店座敷と内所を仕切る紺の暖簾の隙間から視線を感じた。伊勢忠だと気づいた時、妙な緊張を覚えた。

伊三次は表に出ると思わず身震いした。

「何んだ？　風邪でも引いたか？」

増蔵は呑気な声で訊いた。


増蔵が当たりをつけた通り、正源寺裏の相川町の裏店に藤助の塒《ねぐら》があった。藤助は留守だったが、油障子の横に垂木の何本かと野地板が立て掛けられていた。

「角はありやせんね」

伊三次はそれを見て増蔵に言った。

「えり半の所にその角を運んだとしたら、こいつで決まりだな」

増蔵も納得した顔で言った。

「恐らく、最初は角の他に垂木も野地板も置いて来るつもりだったんでしょう。ところが運ぶ段になって、皆置いて来るのが惜しくなった。どうせ二度と行かない所だからと角だけでお茶を濁したんですよ。けちな野郎だ」

伊三次は不愉快そうに吐き捨てた。

「よし、不破の旦那に繋ぎをつけたら、張り込むことにする」

増蔵はあっさり言って、その場を後にした。

藤助が塒に戻った所をしょっ引けば、一件落着である。その時の伊三次と増蔵は、この事件を、埒もないものだと思っていた。年の暮の事件はゆすり、騙り、かっぱらいなどが多かった。前後にも似たような事があり、下手人はあっさりと捕まってもいたからだ。

しかし、藤助は塒に戻って来なかった。

翌日も、さらにその翌日も。

どうやら藤助に感づかれたかと思い始めたのは三日目である。不破は伊勢屋から藤助の人相を聞いて人相書を作り、江戸府内の自身番、辻番に配った。しかし藤助の足取りはようとして知れなかった。

四

伊三次は木場の材木問屋「信濃屋」の主、五兵衛の頭をやりながら、さり気なく伊勢忠の話を持ち出した。伊三次は三日置きぐらいに五兵衛の所に出向き、頭の御用をしていた。

「あすこにいた藤助という手代を旦那は知っておりますかい？」

伊三次は五兵衛の頭に鬢付油を揉《も》み込んでから訊いた。

「知っているともさ。口のうまい奴だよ。あいつに騙された客は多いよ」

「騙されたって、それじゃ、お縄になったこともあるんですかい？」

「いいや、それはないだろう。檜を使うと言って、実は松だったとか、床柱を最初に約束した物より値の安い物にしたりとか、その程度だよ」

「しかし、伊勢忠の看板があるんですから信用を落とすことになるんじゃございませんか？」

「だから、今は伊勢忠から出ているじゃないか」

「わたしが聞いたところによりますと、藤助は渡世人や急に小金を持った成り上がり者なんぞの仕事を取って来て、相当、店も迷惑を掛けられたようですぜ」

伊三次がそう言うと五兵衛はふんと鼻を鳴らした。

「伊勢忠が損をするものか。そりゃあ、一つや二つはそんなこともあったかも知れないが、大抵はうま味のある商売をして来た店だ。伊勢忠は転んでも只じゃ起きない男さ」

「………」

「藤助のことだって、縁が切れたように見せ掛けて、実は裏で糸を引いているのかも知れないよ。不始末が出た時だけ、藤助に責任を押しつけりゃそれで済む。何しろ、今は店を辞めた男でございますと言えば、客も渋々納得するだろう」

「それで本当に世間が通るものでござんしょうかねえ」

伊三次は毛筋を立てて五兵衛に言った。

「あんたも藤助に、いっぱい喰わされた口かい？」

五兵衛は振り向きそうになって言った。その頭を伊三次はくいっと前に戻して「いえ、そうじゃありやせんよ。日本橋でね、こいつは旦那もご存じかと思いますが、小間物屋の夫婦が騙りにあったんですよ。角材三本を置いて行っただけで、夫婦は手付けの五十両を取られたんですよ。どうやら角は伊勢忠から出た物らしいんです」

「そいじゃ、藤助かい？」

「人相書が廻っていると思いやすが……」

「知らなかった……こりゃ大変だ」

五兵衛は途端に慌て出した。

「旦那、落ち着いておくんなさい」

「これが落ち着いていられるかい。早く、早く仕上げておくれ。深川じゃ知らない人が多いんだよ。あちこち知らせて廻らなきゃならない。場合によっては伊勢忠に始末書を書かせて、しばらく組合から退《の》いて貰わなきゃならない」

「へい、急ぎやす」

伊三次はぐっと五兵衛の髪を束ねた。五兵衛は力んだ伊三次に「痛《いた》ッ」と呻いた。

「旦那、一つだけ教えて下せェ。伊勢忠と藤助の繋がりをどうしたら証明できるんですか？」

伊三次は束ねた髪を摑んだまま五兵衛に訊いた。

「そりゃあ、あの二人しか知らない裏の事情を摑むことだろう」

「と申しますと？」

「だから二人しか知らない儲け話のことさ。あるいは内緒事かも知れないよ。伊勢忠が世間に大ぴらにできないことを藤助が知っているとしたら、それで二人が繋がるじゃないか。しっかりしておくれよ、伊三次親分」

五兵衛は茶化すように言った。不破の手先をしていることは五兵衛に言っていない。

しかし、五兵衛は、事件が起きると微に入り、細《さい》をうがって訊ねる伊三次にそれとなく察しをつけていたようだ。普段は冗談口の多い五兵衛であったが、さすがに間抜けではなかった。

「畏れ入りやす……」

伊三次は低い声で応えた。その声が心なしか掠《かす》れた。

門前仲町の自身番の前で、お文はしばらく躊躇していたが、思い切って中に声を掛けた。

「へーい」という若い男の声が応えた。増蔵の子分の正吉《しょうきち》である。油障子を開けて、そこにお文を認めると、にッと笑い「姉さん、今晩は」と挨拶した。夜のとばりが下りた門前仲町は自身番の提灯が滲んだ光を足許に落としている。戸口の前の雪はすっかり始末されて、湿った黒い土に箒目がつけられている。

中から増蔵が首をねじ曲げてこちらを見て「何んだ、今夜はお座敷はねェのかい？」と訊いた。

「ええ」

「こう、入《へ》ェんな」

「お邪魔致します」

お文は小腰を屈《かが》めて中に入った。後ろで正吉がすぐに戸を閉めた。

「昼間は伊三次と一緒だったんだぜ。お前ェの所に寄ったかい？」

「いいえ」

「相変わらず愛想なしの男だなあ。正吉、茶を淹《い》れっつくんな」

増蔵は気軽に正吉に命じた。

「どうぞお構いなく」

「まあ、そう言わずに。お前ェと話をするのも久しぶりだ」

「本当に。増蔵さんにはいつもお世話になりっぱなしで」

お文は座敷に上がって頭を下げた。

「ふん、おれは何も世話はしてねェよ」

増蔵はさり気なくお文をいなした。

お文は伊勢忠からの取り立てのことで悩んでいた。宝来屋は伊勢忠が贔屓にしている茶屋なので、おなみは相談する相手でもないと思った。

おなみは簡単に、金を返しゃいいんだ、ぐらいしか言わないだろう。思い余っていた時に増蔵の顔が浮かんだのだ。伊三次には、金絡みの話は最初からできなかった。

「どうした？　やけに不景気な面をしているぜ」

「ええ、ちょいと相談事がありまして……」

「伊三次にできねェ話か？」

増蔵は煙管を取り出し、火鉢の火で一服点けながら訊いた。お文は茶を淹れている正吉の方をさり気なく見た。

増蔵はお文の気持ちを察して「正吉、もう帰《け》ェっていいぞ」と正吉に言った。正吉は「へい」と応えたが「姉さん、おこなさんは元気でおりやすかい？」と湯呑を差し出してから上目遣いで訊いた。

「家にいるよ。よかったら遊びにおいでな」

「寄っていいんですかい？」

「悪さをしなければね」

お文は表情を変えずに言った。

「そいじゃ、親分、帰ります。姉さん、ごゆっくり」

正吉は張り切った声を上げて外に出て行った。

増蔵は行灯《あんどん》を引き寄せて「さあ、話を聞こうか」と、お文を促した。

お文は宝来屋での伊勢忠との一件から催促の話までを増蔵に話した。増蔵は煙管の煙を吐き出しながら、黙って聞いていた。時々、増蔵の眉間に不快そうな皺が刻まれた。

「全く……男じゃねェだろうが」

お文の話が終わると増蔵は、そう感想を洩らした。

「でも、わっちも考えの甘いところがあったし、いちがいに伊勢屋の旦那ばかりを責められませんよ」

「ちょいと気になるのは催促の書き付けを持って来た者だな。五十絡みの奴か？」

増蔵は伊勢忠で話をした番頭の顔を思い出して訊いた。

「いいえ、三十二、三。あるいは五、六にもなっていたでしょうか。おとなしそうな顔をしておりましたが、口調はしっかりしていましたよ」

「……」

「増蔵さん」

天井を睨んで思案する増蔵にお文は声を掛けた。増蔵はしばらく黙ったままだった。

「その番頭の名前ェは聞いたかい？」

増蔵はようやく口を開いた。

「いいえ」

「痩せて浅黒い顔の男だな？」

「ええ、そうです」

「こいつかい？」

増蔵は懐から折り畳んだ紙を取り出し、それをお文の前に拡げて見せた。藤助の人相書だった。

「こ、この人です！」

お文は甲走った声で応えた。

「何かの科人《とがにん》ですか？」

お文の声が自然に震えた。

「騙りの科人だ。元は伊勢忠に奉公していた藤助という男だが、いまは一人で商売をしている。金に詰まっていたようで、暮に日本橋で小間物屋の年寄りから五十両を掠め取った」

「じゃ、わっちの所に来たのも、その手で嵌《は》めようと？」

「わからねェ。しかしやけに詳しい話を知っていると思ってな、そいつがちょいと解せねェ」

「……………」

「伊勢忠とこいつはぐるになっているような気がふっとした……」

「まさか。伊勢忠の旦那はわっちに愛想尽かしをされたから頭に血が昇って、出した金を返せと言って来たんですよ」

お文は忠兵衛に腹を立てていたが、騙りの科人とぐるになっているとまでは考えられなかった。

「お前ェの家を直したのが伊勢忠だってことは皆んなが知っている。着物の世話をしてやるのも小金持ちの客ならよくある話だ。だが、その金を出してやったと大ぴらに奉公人に話すだろうかと思ってよ。まして銭の取り立てまでやらせるなんざ……」

「でも気心の知れた奉公人なら……」

「さあ、そこだ」

増蔵はお文の話を遮《さえぎ》るように言った。

「こいつと伊勢忠は気心が知れているとは思わねェか?」

お文の背中が鳥肌立った。

「そうだとしたら、蛤町の家は早晩、旦那に返さなきゃならない羽目になるでしょうね」

「そこまで藤助は言ったのかい?」

「ええ。払えない時は家の権利を渡せということでした」

「こいつァ……」

増蔵は呆れたように吐息をついた。

「どうしたらいいんでしょうか」

お文は自然に俯きがちになった。

「そいつは……おれでも見当がつかねェ。おれ達も藤助をしょっ引《ぴ》くのに精を切らしているところだからな」

「伊勢忠の旦那がその藤助を匿《かくま》っているとしたら、おいそれとはゆかないような気がしますけど……」

そう言ったお文に増蔵は驚いた顔をした。

「お前ェ、そこまで考えていたのか？」

「いえ、あてずっぽうですよ。こんなことがあると、わっちも伊勢屋の旦那を悪いようにしか考えられないんでしょうね」

しかし、増蔵はまた思案するように天井を仰いだ。

「伊三次がこの間、お前ェの家を改築した手間賃を催促されやしめェかと心配していたが、本当になっちまったなあ」

増蔵はしばらくしてからお文にぽつりと呟いた。

五

さすがにそれから、藤助はお文の前に姿を現さなかった。人相書が廻っているので警戒しているのだろうとは思うが、鳴りをひそめていればいたで、また気味が悪い。いつ何刻《なんどき》、現れるのだろうかと考えるとお文も心穏やかではなかった。

伊三次が蛤町のお文の家にやって来たのは、増蔵を訪ねた日から二日後のことだった。伊三次はいつものように庭先から廻って茶の間に入って来た。お文の顔を見ると思わせぶりなため息をついた。

お文がそろそろお座敷に出るための仕度をしようとしていた時である。髪をつぶし島田に結い上げ、化粧も済ましていた。もうすぐ箱屋が着物の着付けに来ることになっていた。

「全く、とんでもねェことになっちまったなあ」

伊三次は部屋の隅に台箱を置くと、火鉢の猫板の前に座って口を開いた。手持ち無沙汰に炉扇《ろせん》をいじる。例の伊勢忠の催促のことだと思った。増蔵から聞いたのだろう。

「済んだことは言わないどくれ」

皆、お文が蒔いた種なので言い訳のしようもない。お文は口だけは気丈に返した。

「済んでねェだろうが」

伊三次は少し声を荒らげた。お文は黙って茶道具を引き寄せた。

「まあな。おれに甲斐性がねェから、あの時はお前ェも妙な心持ちになったんだろうが……」

伊三次はお文に邪気のない笑顔を見せてそう言った。お文一人を責めている訳ではないと、その笑顔が言っている。お文は少し、救われたような気持ちになった。

「藤助という男はまだ捕まらないのか？」

「ああ」

「伊勢屋の旦那にお取り調べはあったのかえ？」

「不破の旦那が伊勢忠の所に事情を訊きに行った。旦那はお前ェの家の手間賃のことを持ち出したが、藤助に指図した覚えはねェと言ったそうだ。だが、伊勢忠は、いずれお前ェに家の手間賃を催促するつもりではいたと言っていた」

「…………」

「旦那が、そいつァ、男のやることじゃねェと意見したらしいが、伊勢忠は改築の手間賃を最初《はな》っから只にするとは言ってねェ、とほざいたらしい。何しろ口約束だけで進めた話だから、言った言わねェじゃ埒《らち》が明かねェ。ただし、騙りに遭った小間物屋の方は元奉公人が起こした事だし、店の名前ェも使っているから手前ェの所で始末をつけるとよ。旦那はその代わりにお前ェに銭を催促する気になったんだろうとおっしゃっていたぜ」

「………」

「旦那は、辞めた奉公人の始末をつけることはねェ、そこまでする義理があるのかと伊勢忠に問い詰めたが、店の信用だとか、看板だとか、しち面倒臭《い》ェ理屈を捏《こ》ねるだけで肝心の藤助との関わりは白状しなかった。こいつァ、藤助をお縄にするまで真相は藪の中だ」

「藤助を捕まえる自信はあるのかえ?」

「奴がまだ江戸にいれば、いずれな……だが、そう簡単には行かねェだろう」

「藤助が何か仕掛けて来るとお前ェは思っているのかえ?」

「さあ、そいつもわからねェ」

伊三次はお文が淹れた茶を啜って小首を傾げた。

「伊勢屋の旦那はわっちに後添えに入れと言ったんだよ。わっちがそれを断ったからこんなことになったんだ。宝来屋のお内儀さんにも、うまく立ち回れなかったのかと小言を言われたよ。だけど、わっちとしては他に答えようもなかったのさ」

「黙って後添えに収まると言えばよかったのによ」

伊三次の言葉にお文は眼を剝《む》いた。唇を嚙み締めて睨むと「冗談だよ、怒るなって」と、はぐらかした。

「こんな廻りの髪結いに義理立てして、お前ェも欲のねェ女よ」

伊三次はお文の手を取って自分の頰に押し当てた。そうしてお文を見つめる伊三次の顔は愛しさ、哀れみ、すまなさ、何んとも形容のつかない複雑な表情であった。お文はその手を邪険に払って、「銭を催促されたらどうしたらいいのかえ? わっちの手持ちの物で間に合いそうもないよ」と言った。こんな時、二人して、でれでれと脂下《やにさが》っていいても始まらない。

「こいつはお前ェに対する伊勢忠の意趣返しだ。黙って言いなりになるという手はねェ。こうしよう、十年払いにしてくれと言いな。たとい百両でも一年に十両だ。月にしたら一両にもならねェ。ああ、利子はなしだと念を押すことだ」

「藤助は百五十両と言って来たんだよ」

「そいつは吹っ掛け過ぎだ」

「着物や簪の代金も払えと言っていたからさ」

「そいつの方は品物をそのまま返してやったらいい」

「……」

「何んだ？　惜しいのか？」

「いいや。今までくよくよ悩んでいたことが馬鹿らしく思えて来ただけさ」

本当に伊三次の言葉でお文の気持ちは相当楽になっていた。

「何んということもねェだろう？」

伊三次は悪戯っぽい表情でお文に笑った。

「小頭《こあたま》の利く男だよ」

「何言いやがる。だが、藤助のことは気をつけな。伊勢忠が藤助とつるんでいるとしたら、お前ェのやり方次第で次にどう出て来るか知れたもんじゃねェ」

「あい……」

お文は素直に肯いた。伊三次は伊勢忠の店を訪れた時、暖簾の陰から自分を見ていた忠兵衛のことを、ふと思い出していた。もしも、忠兵衛にあらぬ考えが起きたとするならば、まさにあの時に違いない。自分の意のままにならぬ女の間夫《まぶ》。それを間近に見て、彼が何を思ったか。しかし伊三次は、そのことをお文には言わなかった。

箱屋が土間口から声を掛けて来た。

「姐さん、六助です。よろしいですか？」

「上がっておくれ」

お文は応える。

「さて、商売ェ、商売ェ」

伊三次は茶化すように言って自分も腰を上げた。

「また、ちょくちょく顔を見せておくれよ。わっちも怖いからさ」

お文の眼にその時だけ媚びが含まれた。

忠兵衛は毎月恒例の材木組合の寄合にも欠席していたので、それからしばらく、お文は忠兵衛と顔を合わす機会がなかった。

暦が睦月から如月へと変わり、そろそろ梅の便りも聞かれようとするのに、藤助の行方は相変わらず知れなかった。藤助と忠兵衛がつるんでいるにせよ、今の所は確かな証拠もない。もしかして忠兵衛は路銀を渡して江戸の外に逃がしたのかも知れないと伊三次はふと思うことがあった。伊三次は正吉と交代で相川町の藤助の塒を見張り、増蔵は冬木町の忠兵衛の店を毎日見張っていた。しかし、どちらにも藤助の姿を見掛けることはなかった。

不破は、たかが騙り一人を捕まえられないことに腹を立て、機嫌はすこぶる悪かった。奉行所の同心は事件を起こした科人をすばやく捕らえることを彼等の矜持としている。それがひと月以上も経ち、しかも月番が変わっても事件が未解決のままでは、北町奉行所の沽券に関わることだった。不破の配下の小者《こもの》（手下）達は月番が変わっても、この事件に振り回されていた。

月の半ばも過ぎた頃、お文の家に伊勢忠の本当の番頭が訪れ、蛤町の家を手直しした勘定書を届けて来た。代金八十三両。勘定書には細かく掛かりが記されていた。さすがに着物や小物の立て替えは含まれていなかった。しかし、支払いができない時は家の権利を伊勢屋に譲ることの但し書きがついていた。

お文は直接、忠兵衛と話をすると言って番頭を追い返した。伊三次に言われた通り払うつもりではいたが、その前に忠兵衛に悪態の一つもつきたかった。

六

忠兵衛が番頭と一緒に蛤町のお文の家に来たのは、番頭が来た翌日のことだった。

忠兵衛は店の屋号の入った印半纏を羽織っていた。あくまでも商売の話という体裁をつけていた。

昼近い午前中のことである。おこなは増蔵に知らせに行こうかとお文に小声で訊ねたが、番頭も一緒のことであるし、その必要はないとお文は応えた。催促の話だと思うと自然に背筋が伸びるような気がした。

「お文さん、先日は大変にご無礼致しました。堪忍して下さい」

忠兵衛は開口一番、そんなことを言って慇懃《いんぎん》に頭を下げた。

「いいえ。お酒に酔って悪さをするお客様は珍しくもありませんよ。わっちは気にしておりませんから」

お文はさり気なく忠兵衛をいなした。

「それより、旦那。今頃になって去年の家の手直しした代金を払えというのは、どういう了簡なんでござんすか？　わっちは旦那のお言葉に甘えてそうさせていただいたつもりでおりましたので、勘定書を見せられて心底驚きましたのさ」

お文はまっすぐに忠兵衛を見て続けた。

「わたしの所も色々物入りでねえ。ほれ、例の騙りの件でも、結局はうちが後始末をすることにしたんだよ。店を辞めた手代と言っても、店の名を使っているからねえ」

「それでわっちの所にその皺寄せを押しつけて来たということですか」

「まさか、そんなつもりはないよ」

「わっちは身銭を切ってまで、この家を手直ししようとは思っていませんでしたよ。そんな余裕もありませんでしたし。旦那が任せろとおっしゃったから、そうさせていただいたんですよ。それを今更……」

「わたしはいずれ、あんたを家に入れるつもりだったんだ。ところが、あんたが不承知と、はっきり言ったから、わたしもこの際、きっぱりと諦めることにした。だが、女房にするつもりの女に銭を使うのは惜しくもないが、他人の持ち物になろうとする者に情けはいらないと思ってね」

その理屈にお文は異を挟む余地もない。その通りだと思う。

「お話はわかりましたが、わっちには、その催促をお支払いするお足がありませんのさ」

「ですから、このお家の方で……」

番頭が口を挟む。お文はその番頭を、きッと睨んだ。

「これは嫌がらせでござんすね？」

お文は低い声で言った。

「そう取ったかね？」

忠兵衛は怯まない。

「どうでも払えと言うなら、年八両の十年払い。利子はなしでござんすよ。残り三両はただ今、お支払いしてもよござんす」

「話にもならない」

忠兵衛は吐き捨てた。

「嫌がらせはお前さんの方だよ」

「さあ、どうでしょうか。この話が深川中に拡まったら、旦那はますます男を下げることになりゃしませんか？　いえ、脅しているんじゃござんせんよ。わっちにも腑に落ちないことがありますのさ。藤助らしい男がここに現れて百五十両を払えと最初に言って来たんですよ。ずい分、わっちと旦那の事情に詳しい。これは旦那とその藤助との間に何かあるんじゃないかと勘繰りたくなりますよ」

「それは藤助が勝手にしたことで、わたしは知らない。妙な口利きはしないで貰いたい」

忠兵衛は声を荒らげた。

「旦那が騙りを働いた科人の後始末をつけたとしても、藤助の罪は消えませんよ。藤助はしょっ引かれた暁には余罪を吐かされて、あげくに死罪でござんす。そこんところ、ようく肝に銘じておくんなさいまし。わっちの支払い方に異存がなければ、そのように進めて下さいましな」

お文がそう言うと忠兵衛と番頭は顔を見合わせた。忠兵衛はいまいましそうに顎をしゃくった。

「それではお文さん、そのようにさせていただきます」

番頭は低い声で応えた。忠兵衛はすぐに腰を上げた。

「廻り髪結いの女房になったら、この家は持ち切れないよ」

お文の頭の上に捨て台詞が降った。

忠兵衛と番頭が帰ると、何も言わないのにおこなは塩を撒《ま》いた。

お座敷を終えて蛤町に戻ったのは四つ（午後十時頃）下がりだった。

春先の強い風が吹いていて、その風が着物の裾から這い上がり、お文の空臑《からすね》を嬲《なぶ》った。

「裏口の鍵を開けておくれ」

「あい」

おこなは持っていた三味線をお文に預けると裏口に廻った。星もない夜である。樹々《きぎ》のざわめきがやけに耳につく。

立ち止まって待っていたお文は隣家の軒下から黒い影が動いたように感じた。

「誰？」

お文は首を伸ばして声を掛けた。返答はなかった。

「姉さん、鍵を開けましたよ」

おこなが戻って来て、そう言った。

「おこな、そっちに誰かいるような気がしたんだけどねえ。見ておくれでないかえ？」

「嫌やですよう。あたいだって怖い。ささ、早く中に入りましょうよ」

おこなはお文の背中を押して家の中に促した。お文はそれでも辺りに用心深く視線を投げてから家に入った。

すぐに窮屈な帯を解き、着物も脱ぎ、寝間着に着替えて、その上から半纏を引っ掛けた。

「姉さん、お茶漬け食べます？」

鏡に向かって化粧を落とし始めるとおこなが台所から声を掛けた。

「ああ、少し小腹が空いたからね。このまま寝たんじゃ寒くてやり切れないよ」

「火鉢の火はどうですか？」

おこなに言われてお文は火鉢の炭の具合を見た。白く灰を被っていたが、掻き立てると赤い火が見えた。

「大丈夫だよ」

お文はそう言って、また化粧落としを続けた。それが済むとお文は火鉢の火で煙管に一服点けた。何にせよ、お座敷から戻ってからの一服がお文を寛がせる。お文はぼんやりと吐き出した白い煙を眼で追った。いつもの夜だった。自分はいつまでこうしてお座敷帰りの一服を続けるのだろうかと思った。

おこなが茶碗を出したり漬け物を刻む音が外からの風と絡まって聞こえた。

雨戸の外に人の気配があるような気がしてならない。藤助だろうかと考えると、自然に身体が震えてきた。さっきの人影も気になる。

「おこな、それが済んだら、もう一度、戸締りを確かめておくれ」

「あい」

おこなの声もいつもと変わって聞こえた。

おこなも用心している節が感じられる。

それから二人は言葉も少なく茶漬けを掻き込むと床に就いた。お文は二階の寝間に上がる時「今夜は一緒に寝ようか」と、おこなに声を掛けた。おこなは嬉しそうに「うん」と肯いていた。

いったい何刻《なんどき》だろう。お文は息苦しさに眼を開けた。闇の中では何がどうしたところで定かではない。しかし、お文の鼻腔の奥につんと来るほどの煙の臭いがした。

「おこな、おこな」

お文は隣りのおこなを揺すった。おこなはぐっすりと寝入っている。慌てて行灯に火を入れると部屋中が白い煙でいっぱいだった。

「おこな、大変だ。火事だよ」

お文は甲高い声を上げると、おこなの上掛け蒲団をがばと捲《めく》った。おこなはお文の声より火事という言葉に反応したようだ。

お文が窓の障子を開け、雨戸を外すと、外から人の声がざわざわと響いた。半鐘が鳴ったのは、それからすぐ後のことだった。

「おこな、逃げるよ」

お文は振り向いて叫んだ。おこなは床の上に、ちょこんと座ったまま、箱枕を抱えて震えている。腰を抜かしていた。

七

「兄ィ、兄ィ、起きてくれ。深川が火事だ。姉さんの家の辺りですぜ」

弥八が伊三次の塒の油障子を加減もなく叩いた。伊三次の耳に微かに半鐘の音が聞こえた。伊三次は返事もせずに戸を開けた。少し強い風が中に吹き込み、青い顔をした弥八が額に汗を浮かべて立っていた。

伊三次は黙って着物を羽織り、帯を巻きつけた。その上に半纏を引っ掛けると「行くぜ」と弥八を促した。

「よく気がついたな」

急ぎ足で歩く道々、伊三次は弥八の機転を褒《ほ》めた。

「なあに、親父がやけに風が強いもんで眠れずにいたんでさァ。時々、物干し台に上がって、外の様子を見ていたんですよ。蛤町の辺りが火事だと見当をつけたら、転がるようにおいらの所にやって来て、叩き起こされやした」

弥八は留蔵の住まいのすぐ傍に別棟を建てて貰い、女房のおみつと暮している。

「お文の家が無事ならいいが」

伊三次は足許に視線を落としながら低い声で言った。

「おみつも一緒に行きたいようでしたが、足手纏いになるんで家にいろと言いやした。泣いていましたよ。おこなじゃ頼りにならねェとほざいて……」

「……」

おみつは長いことお文の女中をしていたので心配するのも無理はない。

茅場町の塒を出た時、外はまだ闇の中だったが、永代橋を渡る頃に白々とした朝が訪れて来た。そこからは火事の様子は見えなかった。しかし、半鐘の音は近づくにつれ大きくなった。畳横丁《たたみよこちょう》を抜けてお文の家のある蛤町に出た時、伊三次は息を飲んだ。強い火の色が伊三次の眼を射たからだ。

通りは荷物を担《かつ》いで逃げる人々でごった返している。とりわけ、お文の家の前に人垣が二重にもなっていた。

「兄ィ！」

弥八は悲痛な声を上げた。人垣を掻き分け、前に出ると火消しの連中に止められた。

「退《の》いて下せェ、邪魔になりやす」

「この家の者は、どけェ行った？」

伊三次は火消しに訊く。纏《まとい》持ちが屋根に上っているということは、お文の家が火元になるのだろうか。伊三次の問い掛けは火消し連中の怒号にかき消された。

「兄さん！」

伊三次は後ろから帯をぐっと摑まれた。振り向くと箱枕を抱えたおこなが正吉に寄り添われて立っていた。その顔は火に炙《あぶ》られているというのに白く見えた。身体を小刻みに震わせている。

「お文は？」

「姉さん、中《なか》」

おこなは恐ろしい物でも見たような顔で応えた。

「何んだって？」

伊三次はぎょっとした。台所を焼いた火は茶の間に移っている。

「何んで止めねェ？」

伊三次はおこなの代わりに正吉の頰を張った。

「一旦は外に逃げたんだけれど、姉さん、おっ母さんの形見の三味線を忘れたって、取りに戻ったんだよ」

おこなは泣き出すのを必死で堪えて叫んだ。

「くそッ！」

伊三次は奥歯を嚙み締めると庭の中に入った。火消しに止められたけれど、その手を払い、ついで胸をどんと押した。下っ端の火消しは伊三次の力を受け留められず、地面に尻餅をついた。

「中に人がいるんだ。手前ェ等、何をぐずぐずしていやがる」

伊三次は甲走った声を上げて、閉じた雨戸に近づいた。雨戸を蹴破って「お文、お文」と叫んだ。茶の間は火とともに白い煙が充満していた。伊三次の後頭部はちりちりと痺れている。落ち着かなければと思う一方、早く早くとあせる気持ちが先に立つ。

短い返答があった。眼を凝らすと、お文は二挺の三味線を片手に座敷を這っていた。煙に巻かれるのを避けていたつもりだろうが、そんなことをしていたら、すぐに火にやられてしまう。

「お文、三味線なんざいい!」

伊三次はお文に手を伸ばして叫んだ。

「後生だ。これだけは持ち出させておくれ。わっちは芸者だ。これがなけりゃ、生きてはゆけない」

あっぱれな芸者根性と感心する暇もない。

伊三次はぐいっと足を踏み出すと、お文の腕から二挺の三味線を取り上げ、もう一本の腕でお文の細い首を抱え込み、外に引き摺り出した。お文は苦しそうに呻いた。

その間に火消し連中は鳶口《とびぐち》を使って家を壊し始めた。延焼を喰い止めるためだ。

「弥八!」

伊三次は外に出ると、咳き込みながら弥八を呼んだ。弥八はすばやく傍に来て、お文の身体をひょいと抱えると、おこなの横に運んだ。

「姉さん！」

おこなは涙混じりの声でお文に縋った。

「安心おし。まだ、生きているよう……」

お文は他人事のように呟いて、ふっとおこなに笑った。伊三次は邪険に三味線をお文に押しつけた。

「手前ェの命より三味線が大事か！」

「……」

屋根裏に火がついた。お文の隣りの家も燃えている。さらにその隣りも。火消し連中が盛んに龍吐水《りゅうどすい》を掛けたが火の勢いは容易に収まらなかった。伊三次とお文はただ、焼けて行く家を見ているしかなかった。

ふと、増蔵の姿がないと気づいた。伊三次は小声で正吉の耳許に訊いた。正吉はおこなの肩を抱いている。何をしているんだとからかう余裕もない。

「親分は相川町に行きやした」

「え？」

「姉さんの家に火がついたと知ると、すぐに」

「そいじゃ……」

「藤助の塒ですよ」

「それを早く言わねェか」

伊三次は正吉に怒鳴った。

「兄ィ、どうしやした？」

弥八が正吉の後ろから声を掛けた。

「いや。お文、すぐに戻って来るから、ここで待っていろ」

「あい……」

「おこな、お文を頼んだぜ」

伊三次はそう言うと、弥八に顎をしゃくった。すぐに永代橋近くにある相川町に二人は向かった。

「兄ィ、どこへ行くんで？」

弥八は伊三次の背中に訊く。

「藤助の塒だ」

「どうしてこんな時に……」

弥八は解せない様子だった。

「勘の悪りィ。火事が出て、増さんが藤助の塒に走ったとなったらピンと来ねェのか？」

伊三次は苛々した声になった。

「そいじゃ、仲町の親分は姉さんの家の火事を火付けと当たりをつけたんですかい？」

「多分、そうだ。藤助の人相書は江戸中に廻っている。火事で人の眼を逸らした隙にとんずらする魂胆だったんだろう」

「さすが仲町の親分だ」

「急ぐぜ、増さんが往生しているかも知れねェ」

「合点！」


相川町に辿り着かない内に、縛られた藤助の縄を取っている増蔵に辻で出くわした。藤助は案の定、手甲、脚絆に草鞋《わらじ》履きの旅装束に拵えていた。

「増さん……」

「いやあ、手間取ったぜ。見ろ、この眼」

増蔵の左眼は青い痣《あざ》になっている。しかし、藤助はその何倍も青黒い顔をして、口の端も切っていた。さんざん殴られて口も利けないという態《てい》であった。

「蛤町の家に火をつけたのはお前ェか？」

伊三次は藤助の顎をきゅっと摑んで訊いた。

藤助はうるさそうに伊三次の手を顎で払った。

「待て待て伊三次。調べは自身番でゆっくりやることにするから。文吉の家はどうだ？」

増蔵が伊三次を制して言った。

「丸焼けでさァ。皆、こいつが伊勢忠の指図で動いたに違げェねェ」

そう伊三次が言っても藤助は口を閉ざしている。

「伊勢忠もこれでお仕舞ェだ」

弥八が口を挟むと、藤助はその時だけ弥八をふっと見た。

八

曇っていた空は時刻が進むにつれ、次第に晴れて来た。蛤町のお文の家は骨組みを残しただけの丸焼けとなった。おこなはしばらくの間、親戚の家に身を寄せるという。

それから門前仲町の自身番で、お文は火事が起きた時のことを詳しく訊ねられた。そう言われても、気がついた時、自分が咄嗟に何を見て、何をしたのか定かに思い出せなかった。

それはおこなも同じだった。気の利いた物でも運び出せたらよかったのに、やはり動転していたようで、箱枕一つを後生大事に抱えて逃げ、自慢の派手な着物も簪も灰にしてしまった。

お文も春夏秋冬の衣裳、帯、鼈甲の笄も銀打ちの簪も焼いてしまった。それでも三味線を持ち出せたことはよかったと思う。指に馴染んだ三味線と、母親の形見の三味線を。

着物や頭の飾りはまた買えばいいのだから。

北町奉行所から不破友之進が中間《ちゅうげん》の松助と仲町の自身番に現れたのは、かなり時間が経ってからのことだった。すぐに藤助に伊勢忠との繋がりを訊ねたけれど、その時の藤助は口を割らなかった。不破は藤助を茅場町の大番屋に連行することにした。

おっつけ、そちらに知らせを受けた伊勢忠も顔を出すことだろう。そこで彼が何を言うのか、お文にはもはや興味もなかった。不破がいいようにしてくれるだろうと思った。

しかし、このひと月余りのでき事を思い返すと、やはりお文は後悔していた。

もっと忠兵衛をいなして宥《なだ》めて、宝来屋のおなみが言ったように、うまく立ち回ればよかったのだと思う。感情のままに忠兵衛に悪態をつき、それが忠兵衛の気持ちに火を点けたような気がする。嫉妬はもしかして、女より男の方が強いのかも知れない。

大川を渡る風は冷たかったが、お文はそれがさほど気にならない。まだ気持ちは昂ったままなのだろう。伊三次とお文は夕方近くになって、ようやく舟で茅場町へ向かうところだった。後れ毛を川風に靡かせたまま、お文は遠ざかる深川の町を見つめていた。

近所の者にこの先、どうするかと訊ねられても、お文は何をどうしてよいのか考えることすらできなかった。思案顔して伊三次の横顔を窺えば「茅場町に来な」と、あっさり応えた。

お文の家が火事に遭ったと知ると、朋輩芸者の喜久壽《きくじゅ》は見舞いに訪れ、その時、普段着の着物と帯を差し入れてくれた。寝間着一枚で焼け出されたお文には何よりありがたい。

喜久壽の着物は、お文には地味であったが、しばらく裏店住まいをするつもりのお文には、いっそ、その方がふさわしいと思った。

火が収まるとお文は床下から蓄えていた僅かな金を取り出し、おこなに半分与えた。残りの金で当座の生活を凌《しの》ぐつもりである。

「茅場町の塒は狭めェが辛抱してくんな」

伊三次はお文の背中に言った。

「こんな時に我儘なんざ言わないよ」

お文はぽつりと応える。手には三味線をしっかり抱えていた。

「すぐに、もちっとましな家を見つけるからよ」

伊三次は自分の裏店の塒を恥じているのだろうかと思う。お文には一向構わないことなのに。しかし、お文は「銭はあるのかえ？」と訊いた。

「それぐらいはな。だが、床を構えるのがまた少し遅くなるが……」

「……」

「増さんに、この際、所帯を持てと言われた」

伊三次は少し躊躇したような顔をして口を開いた。お文は驚いて振り返った。

「それでお前ェは何んと応えた？」

「うんと言ったよ」

「……」

伊三次が黙っているお文を心配そうな表情で、じっと見ている。

「お前ェはひどい男だ。わっちが家をなくしてから、ようやくそんな話をする」

お文は、しばらくしてから吐息混じりに言った。

「家持ちの辰巳の姐さんに、廻りの髪結い風情が豪気なことは言えねェと思ってよ」

伊三次は言い訳するように応えた。

「こんなふうになるのを待っていたのかえ？」

「そういう訳じゃねェが……」

「もっと前にその台詞、聞きたかったねえ」

お文はしみじみした口調で言った。

「遅いのか？」

伊三次は真顔で訊いた。

「さあて、遅いか遅くないかは、わっちでもわからない。これが潮刻《しおどき》と言われたら、そうかも知れないと応えるだけだ」

「お前ェだって家を焼かれたんじゃ、仕方がねェと諦めもつくはずだ」

「全く、一寸先は闇とはよく言ったものさ。昨日の今頃、翌日にこんなことになっているなんざ、露ほども思いはしなかったよ」

火事は蛤町一帯を焼いた。藤助の火付けと決まればお文に責任のないことではあったが、罪もない隣人達に迷惑を掛けたことは気持ちを重くしていた。落ち着いたら詫びて歩かなければならないと思う。だから、待ち焦がれていた伊三次の言葉にも素直に喜べない。

深川が遠ざかる。物心ついた頃から馴染んだ町であった。江戸の町で、どこが好きかと問われたら、迷うことなくその名を言うだろう。だが、火事で何も彼《か》も焼いたお文は、数々の思い出さえも、きれいさっぱり焼いた気持ちになっていた。なぜかその時、自分はもう深川に戻らないような気がふっとした。

お文は宝来屋で忠兵衛に言った自分の言葉を思い出した。この先、何が起ころうと、それはわっちが決めたこと、わっち一人が決めたこと、後悔はしませんのさ。

「後悔はしませんのさ……」

お文は自分に言い聞かせるようにそっと呟いた。船頭の操る艫《ろ》が重く軋《きし》んだ音を立てた。

深川はますます遠くなった。お文が見つめる深川の町並が霞んで歪んだ。

「あばえ……」

お文はそう言って両の掌を合わせていた。

文庫のためのあとがき

宇江佐真理

お蔭さまで、髪結い伊三次シリーズの文庫も本書を入れて三冊となった。

まことにありがたいと、心底、思っている。

——お文《ぶん》に比べて、伊三次の貧乏臭いこと。どだい、廻り髪結いと深川芸者の取り合わせなど、見たことも聞いたこともありゃしない。

——あれが江戸弁か？　腑《ふ》に落ちねェなあ。北海道の熊とキタキツネと一緒に暮らしているような嬶ァ《かか》に、江戸の粋な物言いなんざ、わかる訳がねェ。

そんな声も囁かれていることだろう。しかし、たまに読者の方から楽しみにしていると手紙が届くと、私はだらしなく相好《そうごう》を崩してしまう。小説は他に幾らでもあるのに、よりによって、私の作品を選び、しかも好意まで持って下さるとは。

読者の励ましが私には何よりの活力である。

これからも張り切って伊三次のシリーズを書き続けていこうと思う。

すでにお気づきの方もおられると思うが、本一冊につき、伊三次に一歳、年を取らせている。同い年のお文も当然、その通りである。

第一作目の伊三次は二十五歳だった。本書では二十七歳となっている。まあ、ここらが潮時で、最終章の「さらば深川」では、いよいよ所帯を持つことになる。

いずれ子供も生まれ、父親となった伊三次が読者の前に姿を現すだろう。

こういう書き方がいいかどうかはわからない。答えが出るのは伊三次の最終話が終わり、最後に「完」と入れた時だろう。

私は五十歳を過ぎた頃から老いと死のことを考えるようになった。いつまでも若くありたいとは思うが、生ある者はいずれ老い、そして死ぬことは避けられない。

一組の男女の人生を見つめながら、それを考えてみたいと次第に思うようになった。つまり、この考え方で行くと、私は髪結い伊三次の長い長い小説を書き継いでいることになるのだろう。

時々、作者として、どの作品が好きかと訊ねられることがある。自分で書いたものであるから、どの作品にも愛着があり、一概に言えることではないが、本書の中では「因果堀」が好きだ。

この作品は最初にタイトルを設定してから書き始めた。増蔵と先妻お絹の関係を因果堀にたとえたものであるが、もっと深い比喩《ひゆ》、隠喩《いんゆ》があるような気がしてならない。

私はそれをうまく言葉にできないので、後は読者のご判断にまかせたいと思う。

それから、「護持院ヶ原」という異色な作品も書いた。若干、ホラーが入っていて、読者は面喰らうかも知れない。

以前、ミステリィやホラーを手がける作家と話をした時、その方は、ホラー体質でない作家が無理をしてホラーを書くべきではないという意味のことをおっしゃっていた。

その伝でゆけば、私はホラー体質とは言えない。

それでも敢《あ》えて書いたのは、シリーズ物はどうしてもマンネリに陥りやすいので、時々、思い切った変化が必要だと考えるからだ。吉と出るか凶と出るかはわからないが、思い切ってやってみることにした。私としては結構楽しかった。

今のところ、この髪結い伊三次の他にシリーズにしている作品はない。新たにシリーズ物をやってみようという気持ちもないが、断言は控えることにする。

私は、どういう訳か、断言してしまうと、必ずそれを翻《ひるがえ》す事態になってしまうからだ。全く、どうしてそうなるのか自分でもわからない。案外、いい加減な女だと噂になっているのかも知れない。

作者として伊三次を見つめる目も微妙に変化していると思う。当初は一人の男として見ていたものが、弟のようになり、さらに息子のようになっている。これは私が年を取ったということにもなるのだろう。

初心忘るべからず、とは先輩作家によく言われることであるが、もの書きとして年月を重ねて行く内、いつかそれを忘れてしまう。もともと私は自意識過剰な性格であるし、人の意見もあまり聞かないところがある。

しかし、サインを求められ、ついでに何か言葉を書いてくれと言われると、私は「平常心」か「一所懸命」と書くことにしている。

この二つの言葉が、ともすれば傲慢に走りがちな私に僅かにブレーキを掛けてくれるような気がする。

お前の小説には人情はあっても哲学はないと言われても、平常心を保っていれば腹も立たない。一所懸命書いているつもりだから、作品に波はあっても書いたことに後悔はないのである。

どうぞ、伊三次の最終話まで、よろしくおつき合い下さい。しかし、それはまだまだ先である。ずっとずっと先のいつかである。

読者の紅涙を絞る（できれば）最終話のために、私は今を書くのである。

平成十五年二月。函館にて。

解説

山本一力

『文はひとなり』は、古くから言われ続けている箴言《しんげん》だ。個人の私信のみならず、作者が創作した小説にあっても、いや、小説であるからこそ、作者の人となりが出てしまう。

宇江佐真理さんの作品を読んで、その思いをあらためて強くした。

上方落語の大御所、桂米朝師匠の名演のひとつに、『京の茶漬け』という外題の小品がある。

たずねてきた客に、その家の家人は大したもてなしをしない。そのくせ客が帰ろうとすると、決まり文句を口にする。

「そうおっしゃらずに、ちょっと茶漬けでも」

もとよりそのカミさんには、茶漬けなど出す気はない。言われた客も、本気には聞いていない。

「ありがとうおますが、先を急いでおりますんで」

「そうですか。それはえらい残念やこと」

客と家人の双方が、あたかも様式にのっとって演ずるがごとくである。リップサービスの応酬といってもいい。

その様式をわざとぶち壊しにかかる人物があらわれて、落語は佳境へと進む。あとの次第は、各自でお楽しみいただきたい。

あいさつ代わりのリップサービスは、なにも落語のなかだけの話ではない。

「おう山ちゃん、元気か」

「おかげさまで、がんばっています」

「そりゃあよかった。今度、めしでも食いに行こうぜ」

広告制作に従事していたころ、会うたびに、今度めしでも……を口にする男が、何人もいた。つまりは、あいさつ代わりである。

あるとき、米朝師匠の落語を前夜に聴いていたわたしは、突っ込みを入れた。

「いいですねえ。いつにしましょうか」

カバンからビジネスダイヤリーを取り出し、会食をいつにするかと迫った。

「いや、あの……いまスケジュールが分からないから……また、あとで」

逃げるようにして離れて行った男の顔が、いまでも忘れられない。

わたしが知りうる限りの宇江佐真理さんは、リップサービスとは対極に位置する性格だと思う。つまり、まことに律儀で、口にしたことは誠意を持って実行されるのだ。

彼女から示していただいた、ふたつのエピソードを紹介させていただく。ことによると、作中のお文もかくやと感じていただけるかも知れない。

平成十三年十二月初旬、ある出版社の忘年会に初めて招待された。

「すげえなあ、おれも作家さんみたいだよ」

上梓された単行本がまだ二冊のわたしは、招かれたことに舞い上がった。もちろん、喜び勇んで出かけた。会場に入って悔いた。

端が見えないほどに大きな宴会場は、ひとで埋まっていた。そして写真でしか見たことのない著名作家の方々が、そこらじゅうで談笑しておられた。

わたしは、すこぶるつきの下戸。ただの一滴も酒が呑めない。呑めないがゆえに、なにを話していいかが分からない。単行本二冊の駆け出しには、知った顔の編集者も多くない。

場違い感をひとりかみ締めながら、広い会場の片隅で所在なげにしていた。

そのとき。

「山本さん、でしょう？」

声をかけてくれたのが宇江佐さんだった。

彼女はオール讀物新人賞の二期先輩である。『髪結い伊三次』シリーズを筆頭に、数々のシリーズがファンをひきつけている人気作家だ。その彼女に名を呼んでもらえて、ほんとうに嬉しかった。

「はじめまして」

「そんなところに立ってないで、あっちに行って座りましょう」

連れ立ってテーブルについた。人気者だけに、ひっきりなしに編集者の方があいさつに寄ってこられる。彼女はその都度、わたしを顔つなぎしてくれた。

ひとりで戸惑っていた身には、その心遣いがなによりも嬉しかった。

パーティーのあと、ホテルのバーに流れた。呑めないわたしも、場の話がおもしろくて大いにくつろいだ。

「山本さんは、じゃがいもが好きなの？」

コロッケとポテトサラダが大好物だと、バーにはおよそ似合わない話をしていたとき、彼女が問いかけてきた。

「大好きです。毎日食べてもいい」

「だったら、今度送りましょう」

「ありがとうございます」

こんなやり取りでその夜はお開きとなった。

数日後、宇江佐さんから宅配便が届いた。酒の席で話が出た、じゃがいもが箱いっぱいに詰まっていた。

読者の皆様にもご経験がおありだろう。酒場の話は、そのときは大いに盛り上がっても、おおむねその場限りのこと。つまりは、前述したリップサービス大会なのだ。

彼女は違った。

函館に帰り着くなり、市場でじゃがいもを求めて、すぐに送ってきてくれた。もともと伊三次ファンだったうちのカミさんは、生来のモノに弱い性格も加わり、これでメロメロになった。

第二弾は、わたしが直木賞をいただいたあとの出来事だ。

多くのひとから、豪華な花を贈っていただいた。そのラッシュが一段落した朝、またもや宇江佐さんからの宅配便が届いた。

薄手のビジネス封筒を開いたら、なんとギフト券が出てきた。

『全国共通お米券』

「いろいろ考えましたが、こどもが育ち盛りの山本家には、これが一番でしょう」

まさしくその通り。花より団子を地で行く我が家には、最良のお祝いの逸品だった。

販売促進企画に従事していたとき、ギフト商品の開発に携わったことがある。

「義理で贈るギフトには、花が最上。お前に贈ったぞということが確実に伝わる」

広告代理店の企画マンから、こう指摘された。まさにその通りで、義理ギフトの使命は、相手に贈ったことを認識してもらう一点にある。しかし贈り手の意識が強すぎると、ときに受け手はげんなりする。

宇江佐さんのじゃがいもとお米券には、そんなあざとさがまったく感じられなかった。あのひとには、これが一番。おのれを主張せず、ただただ相手のことを思って選んだという思いが、しっかりと伝わってきた。

宇江佐真理は、このような一面を持つ作家である。そして函館にいながら、宇江佐流の江戸深川の町を構築している。

大川、仙台堀、小名木川。その川の流れに沿って、彼女なりの家並が形成されている。多くの時代小説作家の方々が、深川を舞台に選ばれている。そしてその作家固有の町造りをされて、小説のなかに活写されている。

同じ深川でも、作者によって町は異なる。その違いを味わうのが、読者の喜びだろう。

宇江佐真理が描く深川には、町にもひとにも、彼女の性格が色濃く反映されている。言い方を変えれば、作中で描かれる人物には、男のわたしには描けない描写が幾つもある。

一例を言えば、表題作『さらば深川』のお文がそうだ。

お文は深川の気風《きっぷ》が売りの芸者である。

平成十四年の秋に、辰巳芸者の姐さんと対談させていただいた。

「お座敷でいやなことを言われたときには、盃をお膳に叩きつけて帰ってきたこともあったしねえ……」

いまでも門前仲町に暮らす姐さんが、昔を偲んで話してくれたとき。物言いには、七十歳を超えた女性とは思えないほどの、威勢のよさと誇りが含まれていた。

『さらば深川』のお文は、そうではなかった。

理不尽な言いがかりをつけられて店立《たなだ》てを食らいそうになったとき、お文はぐずぐずとねばるのだ。これがわたしには意外だった。

文句を言わず、啖呵《たんか》のひとつも切って、あとも見ないで明け渡すのがお文だと思ったからである。

しかしここにこそ、宇江佐真理が生きているのだと思う。

うちのカミさんを見ていても思うことだが、女はときに、見栄《みえ》よりも実を取る。お文も同じだったのだろう。

目一杯に深川芸者の気風と見栄を売ってはいても、その反面では女ならではの実を取る本能が作用するのだ。

お文がそんなことは言わないだろう。

わたしは最初はそう感じた。が、それはわたしがあたまで描いた、作り物のお文だ。等身大のお文は、やせ我慢だけで生きてはいない。ときには「えっ、あのひとが」と思うようなことを口走ったり、行動であらわしたりする。それゆえに生きているのだ。男のわたしが描いたら、生一本な女を描いただろう。だろうではなく、現にそう描いてもいる。

宇江佐真理は律儀なひとだ。

その人柄がお文の振舞いに投影されている。

作中人物の動きを通して、作者の人柄が透けて見えてくる。

まこと、文はひとなり。お文は宇江佐真理なり、だ。

（作家）

単行本　二〇〇〇年七月　文藝春秋刊

文春文庫

定価はカバーに
表示してあります

さらば深川《ふかがわ》
髪結《かみゆ》い伊三次《いさじ》捕物《とりもの》余話《よわ》
2003年4月10日　第1刷
2007年1月15日　第8刷

著　者　宇江佐真理《うえざまり》
発行者　庄野音比古
発行所　株式会社 文藝春秋
東京都千代田区紀尾井町 3-23　〒102-8008
TEL 03・3265・1211
文藝春秋ホームページ　http://www.bunshun.co.jp
文春ウェブ文庫　http://www.bunshunplaza.com

落丁、乱丁本は、お手数ですが小社製作部宛お送り下さい。送料小社負担でお取替致します。

印刷・凸版印刷　製本・加藤製本
Printed in Japan
ISBN4-16-764003-1